大丈夫。
あなたは授かれる!

ママになりたいを
応援するサポートブック

子宝鍼灸師®
たけなが みきと

鴨ブックス

はじめに

大丈夫、あなたは授かれる

現在、日本では5組に1組が[*1]【赤ちゃんが欲しい】と思っているのに授かれないと悩み、自分は授かれないのかと不安にさいなまれているといわれています。この割合は年々増加傾向にあります。

妊活がつらい一番の理由は【妊娠というゴールが見えない】こと。

本当の意味でのゴールは妊娠ではなく、元気な赤ちゃんをあなたの胸に抱きしめることです。そのゴールが目の前にあるのかもしれませんし、もう少し先にあるのかもしれない。そこがつらくて、しんどくて、くじけそうになる最大の理由でしょう。

妊活に正解はありません。巷《ちまた》にはいろいろな妊活情報や妊活法があふれています。

そのとおりに行えば絶対授かれる。そんな方法が存在すれば、どれだけ多くの人が救われて、世の中がハッピーに、豊かになっていくことでしょう。

わたしたち人類にとって子どもは宝です。子どもが減少すると社会の力、国の力も弱まっていきます。日本は少子高齢化が進み経済的にも国力も下がってきています。

子どもが減れば国民の幸福度も間違いなく下がってしまいます。子どもを育てにくい環境になった。政治が悪い面もあるとは思いますが、実際に子どもを授かることとはまた別問題。

だって今、妊活を頑張っている【赤ちゃんが欲しい】あなたには、授かることが最大の希望。

この絶対というものがない妊活ですが、「明らかにこれはしたほうがいい」とか、「これは避けたほうがベター」ということはあります。

そしてやみくもに自己流で妊活を進めていくよりも、正しく自分の状況や身体と向き合うこと。妊娠に関しての正しい知識、情報を学ぶことが、早く授かるためには必要です。

日本での今までの性教育は、避妊のための教育、それも最低限の教育しかされてきませんでした。排卵日を『危険日』という言葉で表わし、「どうすれば望まない妊娠を防げるか」という観点からの性教育しかされてこなかった。その結果が今の授かれていない人が増えている要因にもなっています。

・生理があって性交渉をすればすぐに妊娠できると思っていた
・卵子が年齢とともに減ってくるなんて知らなかった
・病院の不妊治療を受ければ必ず妊娠できる

あまりにも妊娠に関しての知識がない人が多く、なのに妊活をやみくもに頑張っている。

そんな多くの人に、少しでも知ってほしい。早くかわいい赤ちゃんを授かってほしい。

そんな思いで日々の施術をさせていただき、YouTubeやInstagram、Voicyなどで妊活情報を発信してきました。

わたしの経験とその中で培《つちか》ってきた知識をこの本でもあなたにお伝えしていきます。

この項目のもっと詳しい説明はこちら！

https://youtu.be/t1CmPea5eJg

目次

第1章

そもそも人間は妊娠しにくい動物？

あなたは不妊じゃない。絶対に妊娠できないのは男性だけ

「はじめに」でも書きましたが、まず、妊娠に対する誤解を解いていきたいと思います。

わたしたちは学校教育の中で望まない妊娠を避けるために避妊をすることを教えられてきました。女子が初潮を迎えるころの保健の授業では、基礎体温での排卵日のことを説明するのに「危険日」という表現を使っていませんでしたか？

日本では、望まない妊娠を増やさないこと。それが性教育のベースにあったように思います。

そのような教育を受けた結果として、「避妊しなければすぐに妊娠するもの」「妊娠できるもの」と思い込んでしまったのかもしれませんね。

ところが、人間は本来妊娠しにくい動物なのです。

結論からいうと、なんの問題もない健康な男女が普通になかよし（性交渉）をしても、１回の生理周期のうちに妊娠する確率はわずか20％。

同じ哺乳類でも、人間とチンパンジーでは妊娠のしやすさが違います。チンパンジーはその１回の生理周期の中で妊娠率は70％もあるのです。そもそも、人間以外の多くの動物には、いわゆる繁殖期というものがあります。ですからなんとしても子孫を残すために１回の交尾での妊娠率が必然的に高くなっているのです。

わたしたちにはその繁殖期が存在しないので、いつでも妊娠の可能性はあるものの、妊娠率は低くなってしまったのでしょう。

ですから「すぐに妊娠できるもの」と思い込んでいたからこそ、「もしかしたら自分は不妊ではないか」と考えている人も多いのです。

そもそもわたしは、「人間は妊娠しにくい動物なんだ」という認識を持つことが大事だと思っています。

「こうすれば100％妊娠できる」

そんな絶対的な妊活法は残念ながら存在しません。

「自分の妊娠率は20％」

その事実をまず理解する。

20％の妊娠率がベースで、20％を30％に、30％から40％に上げていくことが妊活なんです。

いくら正しい妊活をしても、その確率は60％～70％が限界でしょう。だから正しい妊活方法を知り、妊娠しやすい身体をつくっていくこと。これが本当の意味での『妊活』です。

ただ避妊をやめて、なかよしをすることだけが妊活ではないのだということをまず、理解してください。

不妊は今、赤ちゃんを妊娠していない状態を指します。つまり不妊は『未妊』ということなので、あなたは不妊ではないのです。

この項目の
もっと詳しい
説明はこちら！

https://youtu.be/u9C2MF2OBuY

https://voicy.jp/channel/1774/520772

35歳は高齢？ 年齢はハンデ？

近年、女性の社会進出、男女雇用機会均等法などでキャリアを積んでいく女性が多くなってきました。

しかしながら、人間の身体における出産適齢期は昔と変わらずに20〜35歳といわれています。やはり少しでも若いほうが当然妊娠しやすいですよね。

これは卵子の数が年齢とともに減少していくからです。

人間の通常の生理サイクルでは、1周期に排卵される卵子は1個です。

毎回、複数個が排卵されているなら、犬や猫などほかの動物と同様に双子以上の多胎《たたい》妊娠が増えてしまいます。人間の場合、双子ちゃんのほうが圧倒的に珍し

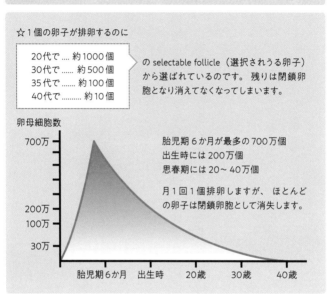

排卵される卵子は、選ばれています!!

☆１個の卵子が排卵するのに

20代で …. 約1000個
30代で …… 約500個
35代で ……. 約100個
40代で ………. 約10個

の selectable follicle（選択されうる卵子）から選ばれているのです。 残りは閉鎖卵胞となり消えてなくなってしまいます。

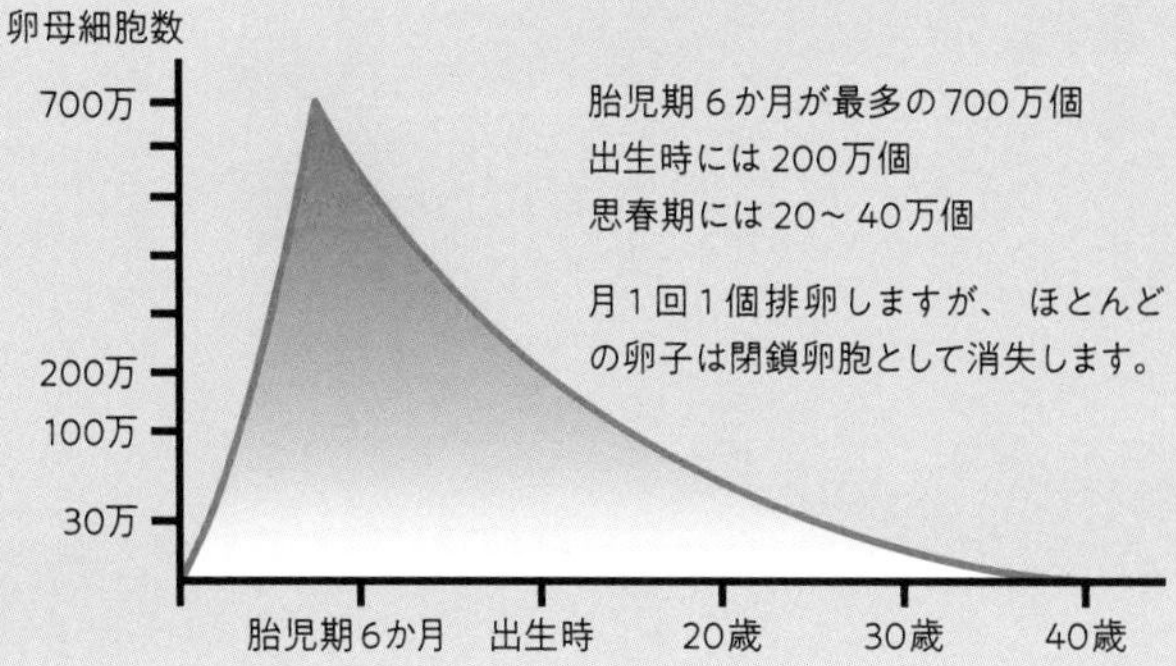

いですよね。

卵子（卵母細胞）の数は、あなたがお母さんのおなかの中で性別が女の子と決まったときに一生分の卵ができてしまいます。

その数なんと７００万個。これが出生時には２００万個にまで減少します。排卵が始まる、すなわち生理が始まる初潮を迎えるころには20～40万個までその数が減少しているのです。そこからも増えることなく閉経に向かって急な坂を転がるように減っていきます。

20代ではその周期の排卵に向けて約1000個の卵子が準備されて、その中の最優秀な1個が排卵されます。若くて質のいい卵子の中から選ばれた1個ですから妊娠しにくいわけはないですよね。

30代になれば約500個からのスタート。40代になるとスタートできる卵子が約10個と激減してしまいます。これが若い人のほうが妊娠しやすいからくりです。

35歳以上の方には厳しい話ですが、これがシビアな現実なんです。

将来の人生設計をするとき、30歳前後の方には子づくりを軸にキャリアを考えることをわたしはおすすめします。

しかしながら、この本を今読まれている方にはすでに35歳以上になられている方も多いと思います。年齢にかかわらず、時を戻すことはできません。では年齢のハンデを解消する方法はないのでしょうか？

今できることはずばり、卵子の質を上げていくことです。

人間を老化させる元凶は活性酸素の増加によるミトコンドリアの劣化です。この活性酸素の発生を抑えてあげることが、すなわち卵子の劣化を抑えることになります。

この項目のもっと詳しい説明はこちら！

https://r.voicy.jp/ybKy4o4xVR7

命を授かること、妊娠そして出産は奇跡の連続

まず妊娠の仕組みを知ることから始めていきましょう。

当たり前の話ですが、あなたとパートナーがなかよしをすると、あなたの身体の中にパートナーの精子が射精される。

その精子は膣から子宮、そしてさらに奥の卵管の中にたどり着き、卵管の深部にある卵管膨大部と呼ばれる広場まで延々と泳いでいかなければなりません。一般的には射精される精子の数は2～3億個。そのうちの100が卵管膨大部まで到着できるかどうか。その確率、わずか0・0005％。

そして排卵された卵子がその広場に到着するのを待つ。

卵子と精子が無事に出会い受精。1つになり、受精卵となります。受精卵は卵

管の中を子宮のほうへ細胞の分裂を繰り返しながら約５日間かけてゆっくりとたどり着き、受精から６日目ぐらいに子宮の内膜の内側に潜り込んで着床します。

子宮の内膜の内側からはたくさんの絨毛《じゅうもう》がしっかりと受精卵を包み込むために伸びてきます。その絨毛は将来「へその緒」になり、あなたと赤ちゃんを出産まででつないでくれます。

なかよしから妊娠までの流れを簡単に説明しました。精子と卵子が出会うにはさまざまな問題をクリアして難関を突破していかねばなりません。

卵子と精子の出会う確率は「０・０００５％」。気が遠くなるような奇跡です。

そして無事に着床出産となり、あなたの腕の中に愛《いと》しい赤ちゃんを抱っこする。この命を授かるということはまさに奇跡の連続なのです。

命を授かる、赤ちゃんを授かるということには、あなたの卵子だけの問題ではなく、そこにはパートナーの精子の力も大きく関係してくるのです。

愛する子どもは二人の子どもで、二人の理解と協力がなければなかなか授かりにくいものです。

妊娠に必要な要素は3つ。あなたのいい卵子、パートナーの元気で質のいい精子、最後にいい子宮環境。これが揃えば妊娠できるはずです。

そして妊娠はゴールではなく、新しい命をあなたの腕の中に抱きしめること。ここを目指していきましょう。

この項目のもっと詳しい説明はこちら！

https://youtu.be/5CsrqUES_nA

第2章

全身を整えて スタートラインに立つ

赤ちゃんを迎え入れる身体を準備しよう

第1章では、妊娠のメカニズムについて説明をさせていただきました。
この章では本当の意味での「妊活のスタートライン」について説明していきます。

多くの方が卵子と精子を出会わせることこそが妊活のスタートだと考えていますよね。

赤ちゃんをつくるということは、避妊をせずになかよし（性交渉）をすること。これが妊活だと思っている方が非常に多いです。
この精子と卵子を出会わすことを主眼にしているのが、一般的な妊活であり西洋医学の考え方でもあります。

このとき、毎周期排卵される卵子の質が重要になってくるのですが、この章では卵子の育ち方についてお話ししていこうと思います。

結論からいうと、今あなたができることは、しっかりといい卵を【3か月後】に排卵できるような体質をつくっていくこと。

それが本当の意味での妊活のスタートになります。

この【3か月】の理由について説明します。

生理が来ることをよく「リセットが来た」

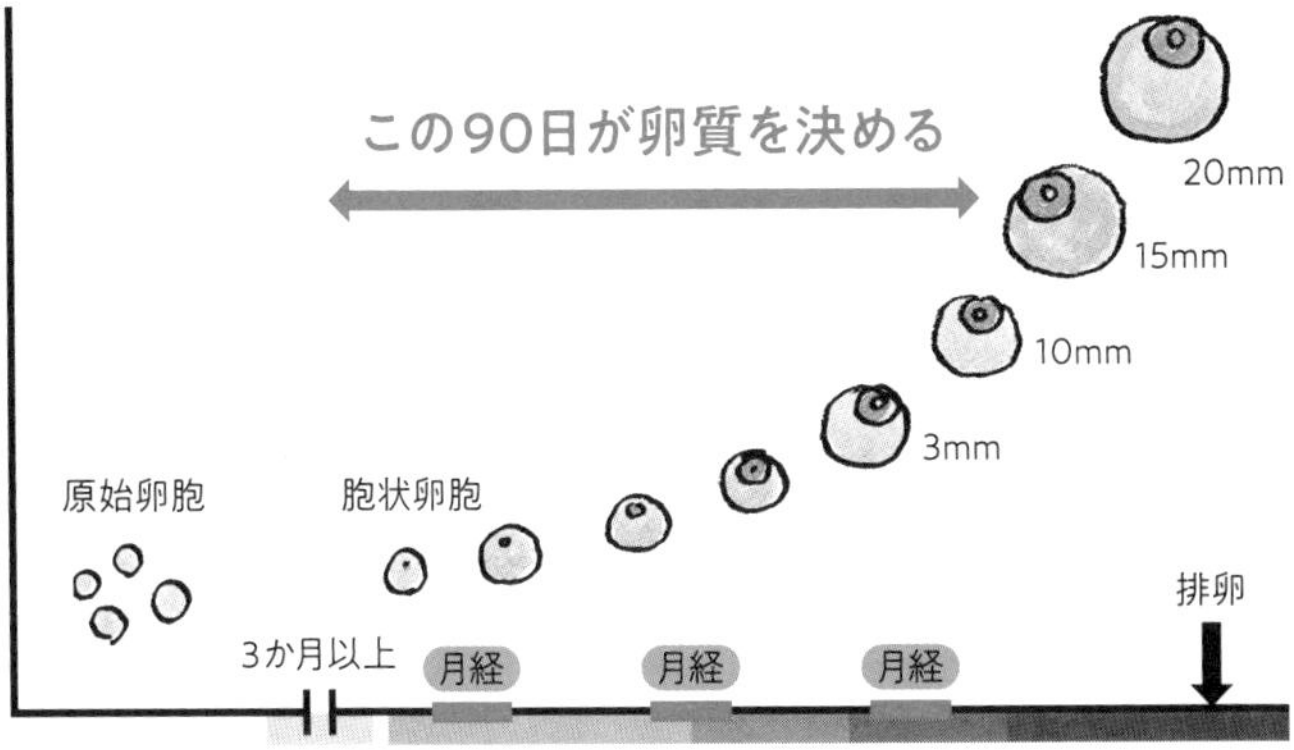

というふうに表現されますが、人間の身体はリセットすることなくすべて『流れ』の中で、積み重ねの連続で構成されています。
生理、排卵も同じです。

卵の成長は、生理が始まってからの14日間という短い期間ではなく、実はそのスタートは半年前にさかのぼります。

まず、卵子は原始卵胞という形で卵巣の中で眠っています。
そして半年後の排卵に向かって、原始卵胞が胞状卵胞という細胞分裂をして成長していく細胞に変わります。
この胞状卵胞の中で卵子も、排卵に向け後半の3か月をかけて成長をしていくわけです。

年齢を重ねていくことによって卵巣の中に蓄えられている原始卵胞は年々減っ

ていきます。

妊娠するための大きな条件の1つに、いい卵子が排卵されることが挙げられますが、いい卵子とは卵自体の力、そして『質が』非常に重要になってきます。

実は年齢が上がるにつれて妊娠しにくく、着床しても流産をしてしまうその原因の大半が、受精卵の染色体のエラーだということが、近年の研究でわかっています。

ですから卵自体の力があって胚盤胞《はいばんほう》まで育ってきっちり着床できる卵であっても、『質』という意味で染色体のエラーがあれば

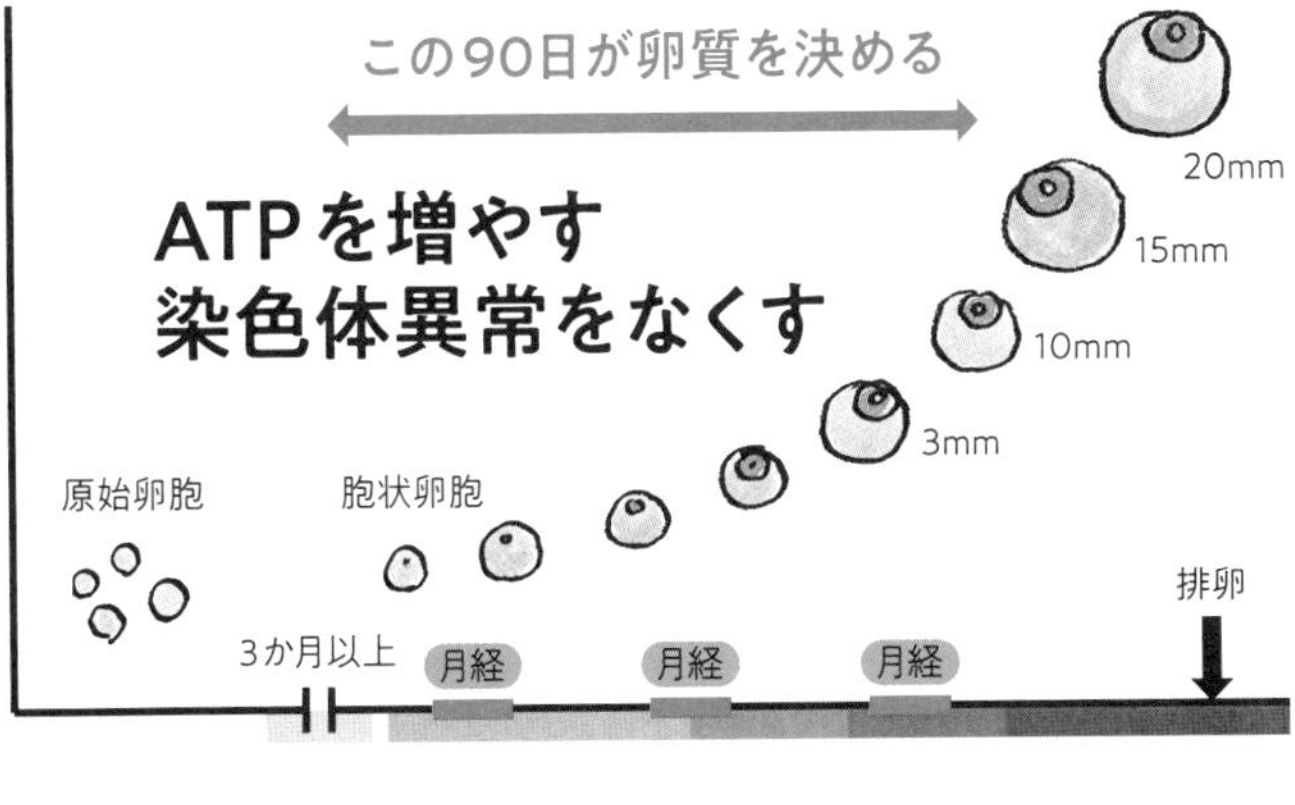

なかなか授かりにくいということになります。

では卵由来のこの染色体のエラーがどこで起きやすいか、どの期間で起こりやすいかということですが、これは原始卵胞が胞状卵胞に変わってから排卵までの【3か月】の間に起こりやすいということがわかってきました。

ですから元気で染色体のエラーがない卵を排卵するためには、この【3か月】が非常に大事になってくるということです。

この質を変えるという意味ですが、卵の質だけにスポットを当てて改善していくことはできません。

身体全体を整えていくこと、元気にしていくこと。その結果、身体から今までの不調が消えてよくなること、それが卵の質にも影響してくるということです。

卵子の老化は、卵子だけが老化するということではなく、身体全体が老化していく結果、必然的に卵子も老化していくということです。男性の場合は精子が老化していくということになりますよね。

ですから元気な身体づくりをすれば、老化が進むスピードを抑えることができ、それが妊娠しやすい身体がつくられるということにつながっていきます。
次の節では、老化しにくくなる方法について、お話を進めていきます。

この項目の
もっと詳しい
説明はこちら！

https://youtu.be/1gMRNuk_JAO

老けたくないのになぜ老けちゃうの？

わたしたちは、生を受けた瞬間から死に向かって時間を過ごします。いわば絶えず老化が進んでいる、と考えて間違いないでしょう。

この『老いる』という現象はすべての生き物に起こりますが、その個体によってスピードが違うと思います。また同じ個体の中でもパーツごとに老いのスピードが変わってきます。

その中で当然、卵子や精子も歳とともに老化をしていきます。

なぜ肉体が老化していくのか？

そのメカニズムがわかれば老化は防げないとしても、そのスピードを抑えたり、各パーツの力をきっちりと発揮できるような身体づくりができるのではないでしょうか。

この老化を抑えることを考える前に、わたしたちが生きていくためのそもそもの原動力について説明をしていきます。

わたしたちが生きていくためのエネルギーはなにかというと、ずばり「ATP（アデノシン三リン酸）」です。

ATPとはすべての生き物の身体の中にあるエネルギー分子のことで、このATPを体内でたくさん作ることができていれば、人間は健康で老化をしにくい身体になります。

このATPがどこで作られるか？

そして、どのようにして作られるか？

これが老化を防ぎ、いい卵子・元気な精子を作るヒントになってきます。

わたしたちの身体は37兆個の小さな細胞の集まりです。
その1つひとつの細胞の中に、ATPを作るための工場があります。

生物の細胞内には、ミトコンドリアという異生物が多数生息しています。このミトコンドリアこそがATPの生成工場。食事をすることで得た栄養や、呼吸をすることによって得た酸素をミトコンドリアにATPの材料として送っていきます。そのお返しにATPというエネルギーを作ってもらう。ミトコンドリアとは生命共同体。一番大事な人生のパートナーです。

たとえば体重が50kgの人からミトコンドリアだけを取り出すことができたとすると、その重量は体重の10分の1、5kgにもなります。

細胞によってミトコンドリアの数は違います。皮膚の細胞で数百個。肝臓の細胞には1000～2000個、心筋細胞には5000～8000個、脳の細胞には数百から数千個。そしてミトコンドリアが一番多く生息しているのが卵胞細胞の中の卵子の細胞です。その数は10万個以上。

生理が始まって排卵までに毎日多くのATPが、卵胞細胞の中で消費されるそうです。すなわち命の誕生にはとてつもないエネルギーが必要ということです。

あなたの細胞内のミトコンドリアが活性化して元気に働いてくれれば、ATPがたくさん作られ、いい卵子が育ちます。

逆にミトコンドリアの活性化を妨《さまた》げているものはなんでしょう？

老化の原因はずばり『活性酸素』

「ミトコンドリアの老化＝身体の老化」ということは理解していただけたでしょうか。そしてそれは、妊活においては卵子・精子の老化に直結しているということです。

ここで、ミトコンドリアの活性化を妨げている『活性酵素』について説明します。

ミトコンドリアがＡＴＰ（エネルギー）を作るときに、生理学的な（電子伝達系の）回路が働きます。

風力発電の風車が回っているイメージです。風車がタービンを回転させていて、タービンの回転が悪くなることが、身体でいう老化になります。

回転が悪くなる一番の原因が、タービンが錆《さ》びてくることです。錆びると当然、歯車は回りにくくなりますよね。

この『錆び』を起こす要因が『活性酸素』なんです。

では『活性酸素』と呼ばれているものはなんでしょうか？

わたしたちは生きていくために酸素をいっぱい吸っています。ですが、吸った酸素がすべて使われるわけではなく、使いきれ

ない酸素が身体の中に残ります。

酸素には「酸化」といって物質を錆びさせる力があります。すなわち、身体の中で錆びが起こる。

この『活性酸素』が増えることによって、ミトコンドリアのエネルギーを作ってくれるタービンが錆びるのです。

また、『活性酸素』は細胞膜を損傷させたり、細胞内のタンパク質を傷つけたり、抗DNA抗体(自己免疫疾患を起こす)増殖などの悪さをします。それらが相まって「老化」という現象になっていくのです。

『活性酸素』の増加＝ミトコンドリアの劣化＝細胞の老化＝不妊。

つまり、『活性酸素』が不妊（ミトコンドリアの老化）の最大の原因になります。

逆にミトコンドリアを活性化させると、健康で健全な身体と精神が手に入り、結果赤ちゃんを授かるためのいい卵子、元気な精子の準備ができる。ここにつながってくるんです。

次にミトコンドリアを活性化させるためにはどうすればいいかを具体的に解説します。

この項目の
もっと詳しい
説明はこちら！

https://youtu.be/U-xFMMNlekO

アンチエイジングが卵子を守る

わたしが考える、いい卵子をつくるために日本人に足りていない栄養素について解説をしましょう。

妊娠をするための3つの要素。いい卵子と元気な精子、そしていい子宮環境。

いい卵子、元気な精子をつくるためにはエネルギーが必要です。

最近、疲れやすい、体力がない、肌の調子が悪い……。

そういう人たちの身体は、生きていくためのエネルギーが足りていない、すなわちミトコンドリアが活性化されていないということになります。

ミトコンドリアの元気がなくなるとさまざまな病気のリスクが上がりますが、

なによりも卵子・精子の質が悪くなってしまい、染色体のエラーもおこしやすくなります。

このミトコンドリアを元気にするための栄養素の1つがコエンザイムです。コエンザイムはもともと身体の中に自然に存在する物質です。

コエンザイムの名前の由来は「Co＝補う」「enzyme＝酵素」という英語で、つまり補酵素ということ。

コエンザイムの働きは大きく3つ。

①抗酸化作用：『活性酸素』が身体の中に増えすぎるとミトコンドリアの工場の機能を錆びさせてATPの生産量が落ちるのですが、この錆び（酸化）を防いでくれます。

②『活性酸素』の発生を抑える：そもそもの『活性酸素』の量を抑えます。

③『活性酸素』を中和する：『活性酸素』の害を受けにくくする。

コエンザイムがしっかりと、体内にあることが、ミトコンドリアの活性化につながります。

コエンザイムは年齢とともに体内から減少していくことがわかっています。そのピークはなんと20歳。そこからはコエンザイムが減ってくる、すなわちミトコンドリアの力も弱まってくるということになりますよね。

このコエンザイムが減る要因は、加齢、ストレス、病気、薬、生活習慣、喫煙などです。

コエンザイムは、食事からも摂取できます。含まれている食品は、青背の魚のイワシ、サバ。少し赤みを帯びている魚のサケ、マス。レバー、ほうれん草、ブロッコリー、大豆、ナッツなどです。

日本人の平均的な食事で摂取できるコエンザイムの量は1日5㎎といわれています。しかし、必要な量は100㎎〜200㎎。いい卵子を目指しているあなたは全然足りていないですよね。100㎎のコエンザイムを摂るためには牛肉3㎏、ブロッコリー10㎏が必要です。無理ですね……。

ですから、お薬にも認可され、健康補助食品すなわちサプリメントとしても発売されているコエンザイムは、あなたに必要な栄養素であるということになります。

サプリでコエンザイムを選ぶポイントは還元型を選ぶこと。コエンザイムには比較的安価な酸化型と還元型があります。還元型は体内でつくられる形のコエンザイムです。

酸化型は直接、体内に吸収されません。還元型に一段階、形を変えないといけません。
効率よく吸収するためには還元型を摂ることをおすすめします。

この項目のもっと詳しい説明はこちら！

https://r.voicy.jp/poKMaNo5KNQ

第3章

自分の身体と向き合う～必ずしてほしい準備

これをしていないあなたは妊活のスタートラインにも立てていない

あなたが赤ちゃんを欲しいと思ったときにまず、必ずしてほしいこと。それは基本検査です。

今のあなた、そしてパートナーの状態をしっかりと知ることが大事です。今の状態を知ることによって、妊活の遠回りを避けることができます。

では、どういう検査を受けてほしいかを順番に説明していきます。

①血液検査

血液検査で次のような項目を判断していきます。

生理から3日目前後の血液検査で女性の生理のサイクルに関係する基本的なホルモンのバランスをみます。

ＦＳＨ（卵胞刺激ホルモン）という「卵を育てろ」と命令するホルモンと、ＬＨ（黄体形成ホルモン）という排卵を誘導するためのホルモン、この2つの量のバランスをみます。この時期は通常ＦＳＨのほうがＬＨよりも高くなっているのですが、逆転してＬＨのほうが高い方がいらっしゃいます。

この数値の逆転現象があると多嚢胞《たのうほう》性卵巣症候群（ＰＣＯＳ）の疑いが出てきます。

通常、卵子はその生理の周期につき1個の排卵です。いくつかの卵子が育っていき、その中の最優秀の卵子が残り排卵されます。排卵するための卵がたくさん育ちすぎている。そして最優秀な1つが絞り切れずに排卵障害を起こす。これが多嚢胞性卵巣症候群です。

ＦＳＨの数値が高すぎても、卵胞が育たずに排卵障害が起こっていたりします。高齢の方の場合は卵巣機能の低下を考えます。

女性ホルモンの数値

卵子が育っていくためには女性ホルモンがたくさん分泌されることが大事になってきます。この女性ホルモンには、

・卵子を育てる
・子宮内膜を厚くする
・経管粘液を増やす

という働きがあります。女性ホルモンがしっかりとつくられはじめているかどうかも、この時期の血液検査で判断します。

甲状腺のホルモン値

甲状腺ホルモンに異常があると、卵子を成長、排卵させるホルモンにも影響を与えます。

卵巣機能の目安になるＡＭＨの値（Ｐ54〜参照）も血液検査で調べます。

性感染症といわれるエイズ、クラミジアなどの検査、肝炎などの感染症の検査もします。治すべきものは先に治療が必要ですし、感染症はクリニックでの対応や対策が必要になってきます。

以上が血液検査で調べる基本的な項目です。

②超音波検査・エコー検査

生理中に血液検査と同時に行うことが多いのですが超音波によってあなたの卵巣の状態を見ることができます。生理３日目ぐらいでもその周期の排卵に向かって、いくつの卵子が育ちはじめているか確認することができます。

次に生理から10日目ぐらいに再びエコーで卵胞の状態をみてもらいましょう。排卵に向けてしっかりと育っているかを確認します。それはタイミングをとるときに必要な排卵日の予測にもつながります。

最後に排卵日の予想を過ぎたころに卵胞検査をすることによって、その周期にしっかり卵が育ち排卵ができたか否か、すなわち排卵する力があった卵かどうかということがわかります。

またエコー検査をすることによって、卵胞の育ち具合とともに子宮の内膜の厚さもわかります。

一般的には排卵をする時期に内膜の厚さが8㎜以上あれば安心です。（着床時

期には10㎜以上が望ましい厚さです）

③卵管通水・卵管造影検査

卵管の検査です。年齢が上がったり、今までに手術歴や出産経験があったりすると、卵管が狭くなる狭窄《きょうさく》状態になっていたり、詰まって閉塞していることがあります。手術や帝王切開のお産では出血により卵管が子宮や腹腔《ふくくう》内に癒着することがあります。また、妊娠中におなかが大きくなり卵管を圧迫することも原因になります。

卵管はあなたの卵子とパートナーの精子が出会う場所であり、着床まで分割、育っていく場所です。この部分が狭くなったり、詰まっていたりすると当然、物理的に出会えなくなってしまうということです。

その卵管の状況を知らずに1年間タイミングを頑張っても、結果的に無駄な1年を過ごしてしまうことになります。

以上3つが女性側にお願いしたい基本の検査です。

赤ちゃんは二人で作るものです。次に、ぜひ、パートナーの精子の検査もしていただく必要があります。

精子の検査は射精した精液をみていきます。

・射精された精液の量が十分にあるかどうか
・精子の運動率
・運動している精子の中でもまっすぐに進む精子がどれぐらいあるか（直進率）

検査では奇形率もわかります。奇形というのは、たとえば精子の頭の部分が2つだったり、尻尾が長すぎたり短すぎたり、いろいろな形状での奇形の割合を調べていきます。

これらの精子の検査はあくまでも見た目の検査にはなります。

そして気をつけたいのは、精子の状態には波があるということです。1か月の間に10回以上の波があり、そのときの検査がすべてではないということを頭に入れておいてください。

最近は精子由来の染色体の異常がたくさん報告されています。見た目の精子の検査の結果がよくても、精子の質を上げていく努力はしていかないといけません。

また男性によってはこの精子の検査を、なかなか協力的に受けていただけない方もいるようです。

たとえば、再婚の方で前妻との間に子どもがいる場合などは「自分は大丈夫だ」と思い込んでいる男性も非常に多いように思います。男性の精子も女性の卵子と同様、年齢とともに老化・劣化が進んでいきます。

ぜひ、協力してほしいのですが、実際に精液の検査をしなくても精子の状態がわかる検査があります。

これはフーナーテストといわれているものです。

なかよし（性交渉）をした翌日の午前中にクリニックであなたの子宮の中にどれぐらいの精子が残っているかをみる検査です。

一定数の元気な精子が子宮の中に残っていれば良好です。

このとき、女性の身体が異物と見なした精子を攻撃する「抗精子抗体」という抗体を確認できます。

人によってはフーナーテスト、抗精子抗体検査が必要です。

この結果をしっかり分析することで、早く赤ちゃんを授かるための対策を練っていくことができます。

原因がわかれば、自分でできること、しなければならないことも明確になってくるでしょう。

基本検査を行うことが、あなたが無駄な時間を浪費せずに、早く授かるための近道なのです。

ここで1つ注意していただきたいのは、検査でなんらかのホルモン値の異常、基準値との差異が見つかった場合、クリニックによっては安易にホルモン補充をすすめてくるケースがあります。

ホルモン補充が絶対に悪いというわけではありませんが、まずはあなたが自力で、できる対策を行うこと。「妊娠しやすい身体をつくっていく」という考えを大事にしていただきたいです。

この項目のもっと詳しい説明はこちら！

https://youtu.be/hzxH36mFl3k

https://r.voicy.jp/lY9z7jJzV87

わたしは何歳まで妊娠できるんだろう？

基本検査では、もう1つ大事なホルモン検査を説明しなければなりません。

女性が人生で何回排卵するかというと、生涯排卵数は400個。すなわち400回の生理があるということですね。

AMH 測定値の年齢別分布（中央値）

年齢（歳）	中央値（ng/mL）	N（例）
≧27	4.69	558
28	4.27	387
29	4.14	555
30	4.02	663
31	3.85	865
32	3.54	872
33	3.32	959
34	3.14	1064
35	2.62	1191
36	2.5	1122
37	2.27	1154
38	1.9	1230
39	1.8	1176
40	1.47	1057
41	1.3	888
42	1	715
43	0.72	509
44	0.66	309
45	0.41	144
46≧	0.3	127
全群	2.36	15545

＊ JISART(日本生殖補助医療標準化機関)各施設に通院する不妊症患者で当該試薬を用いて測定した 16,526 例のうち、多囊胞性卵巣（PCO）（939 例）および早期卵巣不全（POI）（42 例）と診断された症例を除外した後の、女性 15,545 例の AMH 測定値の年齢別分布（中央値）をノンパラメトリック法により求められています。（国内検討データ）（試薬添付文書より）

排卵に関しては、卵巣予備機能を調べることが大事になってきます。妊娠できる卵子がどれぐらい残っているのかの目安ですね。その卵巣予備機能を測る目安となるのがＡＭＨ（抗ミュラー管ホルモン）の値です。卵巣年齢の基準ともいわれています。

ＡＭＨの検査結果は年齢別の平均値のグラフと一緒に渡されますので、数値が低いと『えっ、わたしの卵はもうないの!? 赤ちゃんができないの……』と不安になり落胆される方も多いようです。

確かに年齢並みの数値は欲しいのですがあくまでも１つの目安としてのホルモン値ですから、ＡＭＨの数値が悪くても排卵がきっちりとできていて、実際に卵子がまだあるならばそこまで深刻に落ち込まなくても大丈夫です。

当院でもＡＭＨの数値が０・１未満でも妊娠・出産した方は数名いらっしゃ

います。

では、低ＡＭＨ対策の方法はあるのか、改善はできるのか！　ということですよね。

飛躍的に回復させることは残念ながらできません。しかし、数値が減っていくスピードを抑えることはできると考えます。

低ＡＭＨ対策は３つあります。

①卵胞に元気を与えるミトコンドリアの活性化

ＡＭＨがどこでつくられているかがカギになってくるのですがＡＭＨは卵胞細胞を構成している顆粒膜細胞でつくられています。体内で

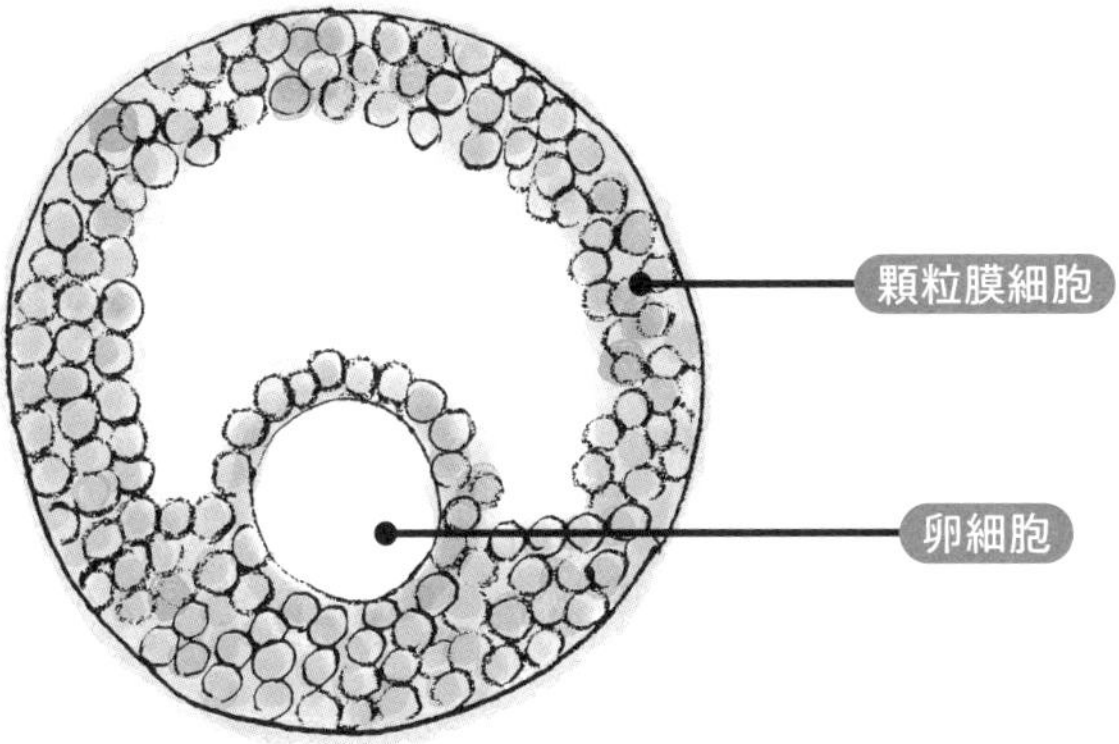

一番ミトコンドリアが多い場所が卵胞細胞すなわち顆粒膜細胞と卵細胞です。ですからミトコンドリアが元気に働くようになれば顆粒膜細胞が活性化し増殖してＡＭＨがたくさん作られるようになってきます。

②食事の見直し

③サプリで栄養素・ビタミンを補充

詳しい食事については次章でふれていきます。

この項目のもっと詳しい説明はこちら！

https://youtu.be/8qiXLW1ZS28

https://voicy.jp/channel/1774/537894?x=2507

第4章

妊活のスタートは食事の見直しから

世界一おいしい日本の食事は、世界一妊娠できない食事だった

いい卵子、元気な精子、子宮環境を整えて妊娠しやすい身体をつくっていこうとお話ししましたが、「じゃあどうするの？」となりますよね。

ずばり、食事の見直しです。

わたしたちの身体の構成要素の6～7割は水分です。次にタンパク質が1～2割、脂質も1～2割。そして1割の糖質です。このタンパク質、脂質、糖質+食物繊維の炭水化物、それにビタミンとミネラルを加えたものが五大栄養素になります。

この五大栄養素をバランスよく摂取することによって、栄養素が身体をつくり、機能を調節し、ATPを作るための栄養分となります。

基本的な考え方は、いいものを摂る前に、悪いものを摂らないようにしよう。そこがスタートになります。

多くの日本人が勘違いしていることがあります、それはなにか。『日本の食が世界で一番安心・安全』、そんなふうに思っていませんか？

断言します。日本の食は先進国の中では、一番『危険で身体に悪い』のです。

アメリカでは発売禁止なのに日本では？

それでは、妊活中の食事で食べてはいけないものを解説していきます。

よく「いい卵を育てるためには何を食べたらいいのですか」という食事に関す

る質問をいただきます。

いいものを摂る前に、妊活に悪いものを意識して食べないようにしましょう。

そこが妊活食のスタートです。

あなたのお家の冷蔵庫内にマーガリンは入っていませんか？

マーガリンは心血管疾患のリスクを高めるトランス脂肪酸を多く含みます。ほかにはお菓子や菓子パンによく使われているショートニング、ポテトチップスなどのジャンクフードに使われている植物油脂。これらもまた、トランス脂肪酸を多く含みます。マーガリンは発売された当初は植物性ということで、身体に優しいというCMで世の中に広まっていきました。

マーガリンのつくり方をご存じでしょうか？　植物油に水素を添加することに

よって油分を固めるのです。食塩などを加えて味つけして商品にしています。模造バターですね。販売当初は代替バターの意味もありました。

ちなみに原材料を植物油から石油に変えて水素添加してつくるものが、プラスチックです。マーガリンの分子式に水素を増やすだけでプラスチックに早変わりしたりもします。分子構造がそっくりなので、マーガリンは食べられるプラスチックとすらいわれています。

トランス脂肪酸は今、海外では最も危険視されている脂肪酸です。
世界中で年間50万人がこのトランス脂肪酸による心臓と血管の病気で亡くなっています。[*2]

WHO（世界保健機関）は2018年5月、全加盟国の食卓からトランス脂肪酸を排除するよう呼びかけるガイドを発表しました。WHOは、トランス脂肪酸の摂取が心血管疾患、糖尿病、肥満、不妊などに関連する健康問題を引き起こす可能性があることを指摘し、その摂取量を減らすための政策的アプローチを推奨しました。

アメリカではニューヨーク市が２００６年に市内飲食店のすべてでトランス脂肪酸の完全使用禁止したのをはじめ、ほかの州でも使用を禁止するようになってきています。カナダ、タイ、シンガポールでも使用禁止。食品に厳しいドイツ、フランスでも同様以上にトランス脂肪酸を問題視しています。

日本でも少しだけ、一部の商品にトランス脂肪酸不使用との表示のものが出てきましたが、厚労省も強い規制ができていないのが現状です。堂々とＣＭが打たれて商品が並んでいるのは世界でも日本ぐらいです。

ですから、まず、冷蔵庫の中のマーガリンを捨てる。これを今すぐ行ってください。

トランス脂肪酸はなぜ身体に悪いの？

では、なぜトランス脂肪酸が身体に毒なのかを解説しましょう。

妊活においても健康においてもすべてはATPをたくさんつくること、ミトコンドリアの活性化が最重要事項です。ミトコンドリアに栄養や酸素を届けることが大事ですよね。


ミトコンドリアはどこに生息しているか。わたしたちの37兆ともいわれる細胞の中です。１つひとつの細胞はすべて細胞膜に覆われています。

この細胞膜は脂質でできています。この細胞膜の脂質は食事から摂った脂質でつくられるのですが、当然、トランス脂肪酸もこの細胞膜の材料の脂質として使われます。

食べるプラスチックであるトランス脂肪酸、マーガリンでつくられた細胞膜は硬くなります。細胞膜が硬いと、あなたが身体にいいと考えて摂取したものも細胞の中に入っていきにくい。つまりミトコンドリアに栄養・酸素が届きにくくなってしまうということです。

妊娠しにくい原因に『排卵障害』というものがあります。卵の力が弱いので排卵がしにくいこともあります。排卵するということは、卵子が卵胞細胞を突き破る、その外の卵巣の細胞も突き破ることです。ですので、排卵痛が起こる場合があるのです。

そのときの細胞膜が硬くなっているとどうでしょう？　卵子に力があっても排卵できなくなってしまう可能性もありますよね。これが排卵障害の１つ『黄体化

細胞膜の外膜は通常の油が原料

トランス脂肪酸＝硬い脂

マーガリン＝植物油×水素
プラスチック＝石油×水素

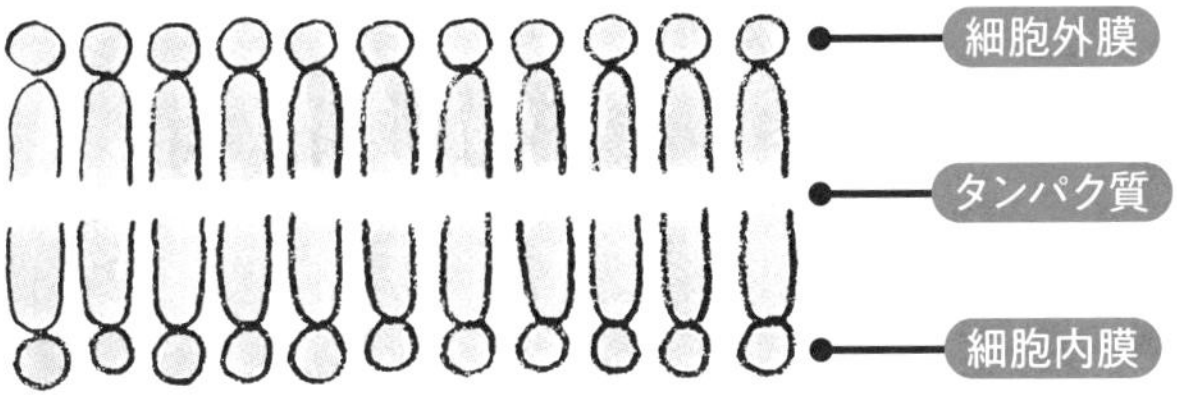

未破裂卵胞』（ＬＵＦ・ルフ）と呼ばれるものです。

細胞膜の状態をよくすること。これが食生活の改善の１丁目１番地。

そして健全な細胞膜を形成するために必要であり、日本人が足りていない脂質、それが『オメガ３』です。具体的には青背の魚の油（イワシ・サンマ・サバなど）・亜麻仁油・えごま油などです。亜麻仁油・えごま油は熱に弱いので70度以上に加熱せずに、そのままスプーン大さじ１杯を以上毎日摂りましょう。

健全でいい細胞膜を作ること。ここが食生活改善のスタートです。

この項目のもっと詳しい説明はこちら！

https://youtu.be/CqxKetv3EJ8

https://r.voicy.jp/xAK6EjBbVba

日本は世界有数の添加物大国

妊活中の食事の見直し、トランス脂肪酸をやめていただくことに加えてもう1つ気をつけていただきたいものがあります。

それは添加物です。

最初に日本の食は先進国の中では最低。安心・安全ではないといいました。その理由が、日本は世界でも群を抜く添加物大国であるということなのです。

日本では現在約1500種類の添加物の使用が認められています。[*3]

添加物がすべて悪だとはいえません。しかし、国ごとに基準が違うので他国と比べることは難しいのですが、使用されている種類が多いのは間違いありません。

添加物大国である理由は、日本では添加物が使われていない食品を見つけることが困難であるという事です。流通しているほぼすべての食品には、なんらかの添加物が使われています。

また、海外では毒性や発がん性があるとされ、使用禁止の添加物も日本では許可されているものが少なくないというのが現状です。

添加物で一番多く使われているのが保存料になります。

ほかにも見映えをよくするための発色剤や色素などもすべて添加物になります。添加物をたくさん使っている食品をわたしたちが食べると、まず食中毒を起こすことはない。

それは保存料が腐敗を起こす菌をすべて殺してしまうからです。

このような殺菌力が強い食べ物を身体の中に取り入れると身体の中、腸内環境が当然、乱れてきます。

腸の中には『腸内フローラ』といわれる、消化を助けてくれ、免疫を増やしてくれる、さまざまな微生物が住んでいます。わたしたち人間や動物はそれらの微生物と共生しているのです。

添加物をたくさん摂ることによって、その体内に住んでいる微生物たちがどういう影響を受けるか、少し考えていただくだけでわかるかもしれません。死んでしまうのです。

食品添加物を摂りすぎることによって身体の中が弱っていくのです。すなわち妊活力がどんどん落ちていくことにつながっていきます。

最近、不妊治療のクリニックでは『子宮内フローラ』といって、子宮の中の細菌環境も検査することが増えてきました。

子宮の中は無菌状態と考えられていたのですが、やはり着床しやすくするためには子宮の中にも、乳酸菌などがある程度は繁殖していることが必要なのです。

身体の中はすべてつながっていますので、腸内環境が乱れるということは、すなわち子宮内の環境もリンクして乱れていくのは当たり前ですよね。

残念ながら今この日本で生活をしているかぎり、添加物をすべて排除することは不可能です。

ですから、せめて意識して添加物を減らしてください。

日本では食品の原材料表示が義務づけられています。買い物をするときには裏を見る習慣をつけてください。

食品表示の原材料の欄。最初は使われているものが多い順に原材料が書かれています。途中で斜め線の「／（スラッシュ）」が入っていますね。この「／」以降に記載されているものがすべて添加物になります。

カタカナの添加物がたくさん書かれているもの、聞いたことがないようなものがたくさん書かれているものは極力、避けたほうが無難です。

そして常識的に考えて消費期限が長すぎるものがありますよね。それも添加物のおかげで消費期限が延びたせいです。当然そういうものも身体にはよくないということです。

日本には添加物があふれかえっています。まず、そのことを知り意識をすることから始めてください。

最後に添加物対策です。

・添加物を意識して極力摂らない
・水分をしっかり摂ってデトックスしながら便通をよくする
・腸内環境を整えるために発酵食品を意識してたくさん食べる

・発酵食品により、腸内に生息している微生物を増やす
・微生物の餌として食物繊維、繊維質の野菜をしっかりと食べる

この項目の
もっと詳しい
説明はこちら！

https://youtu.be/8DyanSBvdw

https://r.voicy.jp/259D6glMKNo

砂糖であなたの身体は丸コゲ状態真っ黒け

第2章では卵子の老化――活性酸素について説明させていただきました。もう1つ大事な「卵子の老化」を起こす要因について考えていきましょう。

卵子や精子だけではなく、身体の老化を促進させるものとして、活性酸素による「酸化」と、食事などから摂取した糖がタンパク質と結合して細胞を劣化させ

る「糖化」があります。

イメージでいえば酸化が『錆び』で、糖化が『焦げ』ですね。

食事で体内に吸収された糖分はエネルギーとして活用されます。これが「タンパク質」「脂質」「炭水化物」の三大栄養素。

糖質と食物繊維を合わせて炭水化物と呼びます。糖質は身体の中で最も素早くエネルギーに変わる栄養素です。

食事で摂られた糖質は消化酵素の働きで分解されて、最終的に小腸でブドウ糖や果糖といった単糖類に分解されて体内に吸収されます。

その後、全身でエネルギー源として使われたり、脂肪に変換されて体内に貯蓄

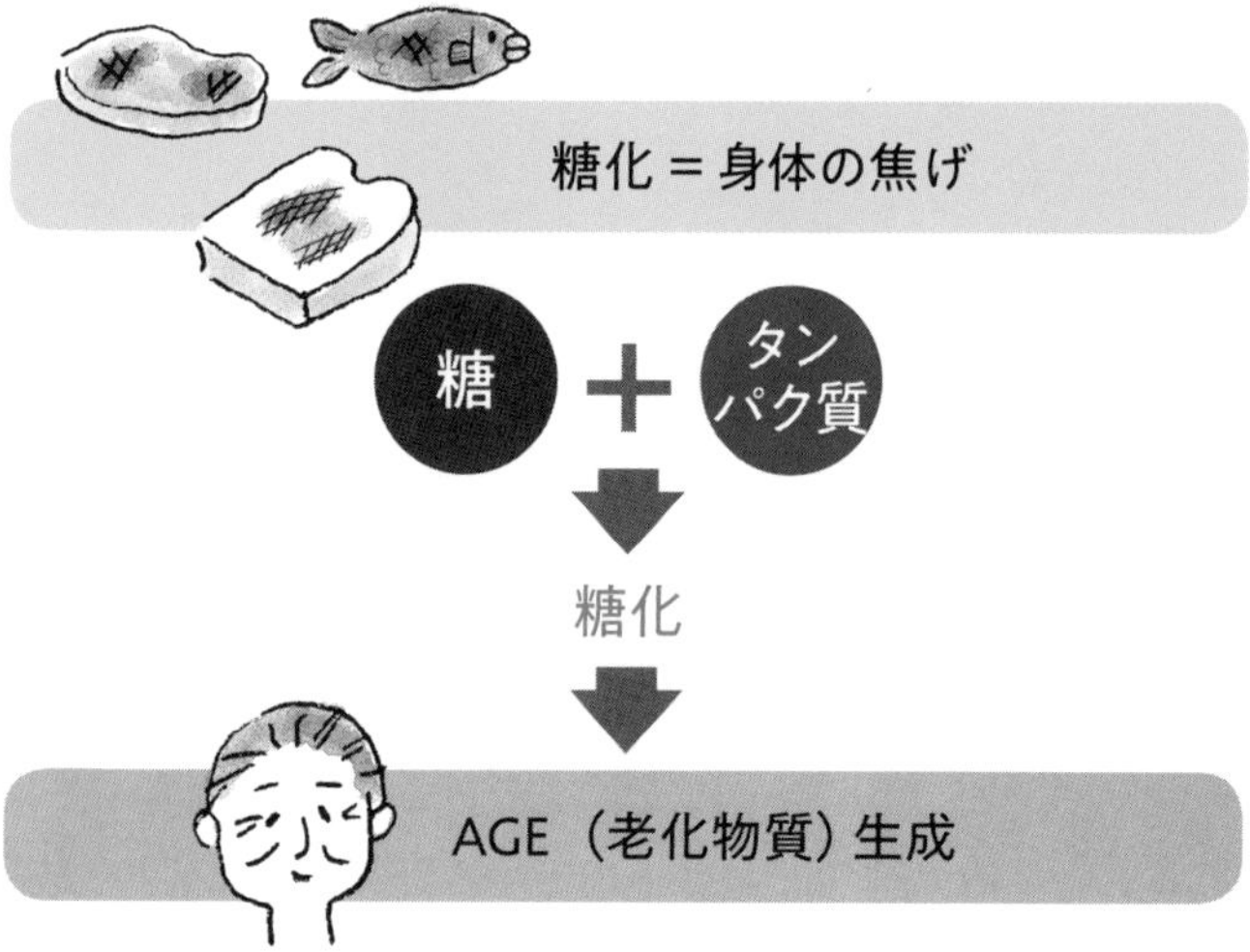

されていきます。

そして余った吸収されなかった糖質が、体内のタンパク質と結びついてできるもの、それがＡＧＥ（糖化最終産物）です。このＡＧＥこそがわたしたちの身体の老化の元凶です。

イメージするならホットケーキの黒く焦げた部分や、プリンの黒く焦がしたキャラメルなど。糖とタンパク質が熱によって焦げるのです。

肌のコラーゲンが糖化してＡＧＥが増

えるとシミやシワのもとになります。骨や血管でＡＧＥが増えると骨粗しょう症や動脈硬化の原因になります。

妊活でこの問題を考えると、排卵障害の１つである多嚢胞性卵巣症候群（ＰＣＯＳ）になります。

ＰＣＯＳの女性の卵巣細胞や血管内皮細胞では、ＡＧＥが発現する割合が高いことが確認されています。

また、受精卵が着床するときに子宮内膜から出てくる絨毛にＡＧＥが発生すると、着床機能と胎盤機能を障害する可能性があるといわれています。

ですからこの糖化ストレスを抑えていくことも、妊活中の食生活において重要なポイントになってきます。

糖化による糖化ストレスを防ぐ食生活について考えていきます。
まず、大前提としては糖分＝甘いものを摂りすぎないこと。

食事は、食後の血糖値を上げすぎないものがいいでしょう。
穀物であれば、白米よりも精製されていない玄米や大麦。
パンであれば、小麦粉を使っているものよりも全粒粉のもの。
糖分は砂糖ではなくハチミツがいいでしょう。

食材以外に糖化ストレスを抑える方法をご紹介します。

食事の食べ方：ゆっくり噛んで食べてください。
早食いやドカ食いをせず、一口ずつよく噛んで食べること。血糖値の上昇を抑えて食べ過ぎることも防げます。

食べる順番：まず野菜などの食物繊維の多い『副菜』、そして味噌汁やスープなどの『汁物』。そこから肉や魚などタンパク質の多い『メインのお料理』。最後にご飯やパンなどの炭水化物の『主食』。

この順番を意識すれば糖質の吸収スピードが抑えられます。

食事以外では、吸収した糖分をエネルギーをしっかりと消費することも重要です。

たとえば、ウォーキングなどの運動習慣をきっちりとつけることが重要になってきます。

あとは、身体をバランスよく整えてくれる代謝の時間、身体を修復してくれる時間をしっかりとつくる。それは寝ている時間になりますので、十分な睡眠をとることも必要です。

近年、授かりにくい方が増えているのにも、この糖化ストレスを抱えている方が増えていることも大きくかかわってきていると思います。

酸化と糖化、これをしっかりと理解して、食生活を見つめ直していってください。

この項目の
もっと詳しい
説明はこちら！

https://youtu.be/YYYHxSFbDX8

https://r.voicy.jp/abmwgnnYmGA

第5章

実践！
こんな食生活にしよう

妊活で摂るべき栄養素～食事編～

繰り返しになりますが、食事で大事なのは三大栄養素です。『タンパク質』『脂質』『炭水化物』の三大栄養素はエネルギー源となります。

身体の構成要素は筋肉も血液もホルモンも重要なものはほとんどがタンパク質からできています。タンパク質の食品。思いつくのは、牛肉・豚肉・鶏肉・卵・魚・大豆などですよね。

タンパク質の1日の摂取基準量は、男性で60～65グラム、女性で50グラムとされていますが、妊活中の人はもう少し摂取量を増やしたほうがいいです。牛肉200グラムを焼肉などで食べても、焼くとタンパク質は生のときの半分に減ってしまいますので、20グラムしか摂れません。

タンパク質はしっかりと意識して摂るようにしていきましょう。

タンパク質が身体の構成要素になるときに必要なのが『ビタミン』と『ミネラル』です。

そのため、三大栄養素もそうですが、『ビタミン』『ミネラル』も基本的には食事から摂ることが理想的です。食事内容が重要で、お野菜、魚、牛肉、豚肉、鶏肉、そして乳製品などを意識して食べるようにするといいです。

食事の基本『まごにはやさしいわ』

ここからはいよいよ、普段の食事について説明していきます。妊活中の食事の基本的な考え方は『低糖・低炭水化物・高タンパク質・高脂質・高ビタミン・高ミネラル』このベースを頭に入れてバランスのよい食事を楽しんでほしいです。

バランスのよい食生活の基本。これはあなたも聞かれたことがあるでしょう。

「まごにはにやさしいわ」

卵子・精子の質を上げていくためには、この食事が大事です。

『まごにはやさしいわ』の『ま』

『ま』は豆類。畑の肉といわれるタンパク質たっぷりの大豆。脂質、糖質、ビタミンB1、ビタミンE、葉酸、カリウム、マグネシウム、カルシウム、リン、鉄、亜鉛、銅など、各種栄養素がとても豊富に含まれています。食物繊維もたっぷりで加工されたものには納豆、豆腐、豆乳など。夏場によく食べる枝豆も大豆です。

「まごにはやさしいわ」の食材と主な栄養素

	食材	含まれる主な栄養素
ま	豆類（納豆、豆腐、豆乳など）	タンパク質、脂質、糖質、ビタミンB1、ビタミンE、葉酸、カリウム、マグネシウム、カルシウム、リン、鉄、亜鉛、銅など
ご	ごま（アーモンド・落花生・クルミなどのナッツ。栗や銀杏、松の実など）	タンパク質、ミネラル、脂質
に	肉類（豚肉・牛肉・鶏肉・卵）	タンパク質、ビタミンA・B群・E、アミノ酸
は	発酵食品（納豆、味噌、ぬか、麴、醤油、日本酒など）	体内の細菌環境をよくする
や	野菜	ベータカロチン、ビタミンB群、ビタミンC、ビタミンE
さ	魚、魚貝類	タンパク質、EPA、DHA（青魚）、鉄分、亜鉛、タウリン、ビタミンB12
し	シイタケ（キノコ類）	葉酸、食物繊維、ナイアシン、グリスリン
い	芋類	炭水化物、食物繊維、ビタミンC・B群、ポリフェノール、ベータカロチン
わ	ワカメ（海藻類）	ミネラル（特にマグネシウム）、ビタミン、食物繊維

肉にかたよりがちな現代の食事ですが、大豆、小豆《あずき》、インゲンマメ、ヒヨコマメ、の豆類を積極的に取り入れていくとよいでしょう。

『ご』

『ご』はごまに代表される種子類。ほかにはアーモンド、落花生、クルミなどのナッツ。栗や銀杏、松の実などです。タンパク質、ミネラル、脂質が多く含まれています。良質な油でナッツ類はオメガ3、ごまにはオレイン酸やリノール酸で細胞膜を改善してくれます。

『に』

『に』は肉類。肉の主成分であるタンパク質は、身体の血液や筋肉のもととなり、体内に取り入れることで筋肉が発達して基礎代謝が上がり、消費エネルギーが大きくなります。

もちろん、ホルモンや卵子・精子の原材料もタンパク質です。

豚肉　疲労回復に働いてくれるビタミンB1がなんといっても豚肉の魅力。糖質をエネルギーに変換するときに必要なビタミンなので、不足すると記憶力の低下や情緒不安定、鬱《うつ》などの精神障害も引き起こします。

牛肉　貧血や疲労回復に欠かせない鉄分が豊富。ビタミンA・B群・Eも多くアンチエイジング効果で卵子の老化を遅らせてくれます。

鶏肉　肉類では脂の少ない、低カロリーで高タンパクな食材です。抗酸化作用があり、疲労回復効果も抜群です。

卵　卵も肉類に入れてもいいですね。卵はタンパク質が多く『完全食品』とも呼ばれています。それはDNAを構成するためにに必要なすべてのアミノ酸を含むからです。アミノ酸は体内で生成されるアミノ酸と、体内で作ることができずに食事から摂らないといけない必須アミノ酸があります。卵にはそのすべてがバランスよく含まれているアミノ酸スコア満点な食品です。

『は』

『は』は発酵食品。日本人はものを腐らないようにする添加物をたくさん含んだ食品を知らない間にたくさん食べています。すなわち、体内に共生しているよい細菌や酵母も添加物の影響を少なからず受けています。ですから腸内環境が悪く、連動して子宮内環境が悪くなって着床障害を起こしている人も少なくない現状です。

体内の細菌環境をよくするためには発酵食品をたくさん摂るようにしましょう。代表は納豆そして味噌です。ぬか漬けや、麹《こうじ》漬け、醤油や日本酒も発酵食品になります。

発酵食品は毎日継続的にそして細菌たちの餌になる食物繊維の野菜と一緒に摂るようにすることがポイントです。

『や』

『や』は野菜。野菜にはビタミンがたっぷりと含まれます。緑黄色野菜と呼ばれるものはベータカロチンという強力な抗酸化物質が含まれます。腸内環境を整える食物繊維も豊富です。特に妊活中に必要なビタミンB群も多く、B群の中でも卵子や胎児にも影響する葉酸はほうれん草から発見されたものです。赤ちゃんが欲しいと思ったときに妊娠の3か月前からは意識して葉酸をタップリと摂取するようにしてください。

野菜にはベータカロチンのほかにも、抗酸化力が強いビタミンC、ビタミンEを摂ることができます。卵子・精子の染色体異常を起こす原因となる『活性酸素』を抑えてくれます。

野菜をしっかりと食べることで受精卵の染色体エラーのリスクを減らしていきましょう。

『さ』

『さ』は魚、魚貝類。低カロリーのタンパク質です。特に青背の魚からはオメガ3飽和酸のEPAやDHAを摂取することができます。充分なEPA、DHAの摂取により妊娠率が増加するという研究結果もあるそうです。オメガ3を多く摂るほど赤ちゃんを授かる可能性が上がるということです。

オメガ3は妊娠しやすい身体をつくってくれ、精子の運動機能もアップしてくれる、妊活に必須の油です。

貝類も脂肪分が少なく、低カロリーで栄養価が高い食べ物です。貧血防止のための鉄分、亜鉛、血圧を抑え血糖値を下げるタウリン、疲労回復に働くビタミンB12が多く含まれます。

『し』

『し』はシイタケに代表されるキノコ類

キノコにも葉酸がたっぷりと含まれています。葉酸は水溶性のビタミンなのでスープや味噌汁などの具材に適しています。冷えの解消のために血流を改善してくれるナイアシンも含まれます。そして特にマイタケに多いグリスリンという成分がインスリン抵抗性を抑えて血糖値の調整をして多嚢胞性卵巣症候群の改善につながることもわかってきています。

キノコは食物繊維でもありますので、妊活中も妊娠してからもしっかりと食べていきたいですね。

『い』

『い』は芋類。

芋類の栄養は炭水化物です。日本は米ですが海外では主食が芋という国も多いですよね。食物繊維が多いので米に比べると血糖値の上昇がゆるやかです。ビタミンもCやB群が豊富に含まれており、ポリフェノールやベータカロチンのような抗酸化力が強いものが含まれているのも特徴です。

『わ』

『わ』はワカメなどの海藻類。

海藻類にはミネラルやビタミン、食物繊維がたっぷり入っています。特にミネラルでいうとマグネシウムがたっぷり入っています。

三大ミネラル、これは亜鉛、鉄、マグネシウムです。

マグネシウムは補酵素的な働きをするとても重要性の高いミネラルです。

たとえば妊活に大事なビタミンDは妊活ビタミンと呼ばれています。ビタミンDを吸収して活用するためにはマグネシウムの力を借りないと身体の中に吸収できません。

わたしが海藻の中で一番おすすめしたいのは「モズク」です。フコイダンという非常に抗酸化力が強い成分が多く、ミトコンドリアの働きを抑制する活性酸素を抑えてくれます。抗酸化力が強いということは卵子・精子の質を大いに上げてくれますし、がんの予防にもなります。

海藻類はすべてそうですけれども、食物繊維のかたまりですから腸内環境を整えてくれることも妊活にとってすばらしい効果があります。

わたしたちはいろいろな種類の海藻を買うことができます。ワカメ、コンブ、ヒジキ、モズク。これらを1日1回は食べるようにしていただくと妊娠しやすい身体に変わっていくはずです。
この「まごにはやさしいわ」を意識してバランスよく食事を摂っていってください。

この項目のもっと詳しい説明はこちら！

https://youtu.be/uh_bOk9eK9o

https://r.voicy.jp/wWK8E3qLmB7

妊活で摂るべき栄養素～サプリメント編①～

妊活においては三大栄養素とビタミン・ミネラルを普段の食事から摂取する、不足するものをサプリメントで補充することで妊娠しやすい身体に整えていきます。

妊活中に摂取したいビタミン・ミネラルの代表

①葉酸：いい卵子を育てる働きとともに、胎児の先天的な疾患の予防に効果的です。妊活中から妊娠初期にかけての葉酸の摂取は、健康的な胎児の発育を助けるために重要です。

②ビタミンC・E：この2つのビタミンは抗酸化力が強く、染色体の異常を防いでくれます。また免疫力を強化するためにも重要です。

③ビタミンD：カルシウムの吸収に重要な役割を持っています。カルシウムは胎児の骨や歯の形成に必要な栄養素です。また近年では、着床率、妊娠率、出生率、流産率にもビタミンDが関与していることがわかっています。

④ビタミンB12：赤血球の生成に関与しています。

妊娠中には、赤血球量が増加するため、ビタミンB12の摂取が重要です。

⑤亜鉛：女性には卵巣機能低下の予防となります。抗酸化力もあり免疫細胞を活性化させてくれます。

男性にはセックスミネラルとして健全な精子をつくる働きがあります。

⑥鉄：妊娠中には、胎盤や赤血球の形成に必要な鉄が増加します。鉄が不足すると、貧血のリスクが高まります。

⑦マグネシウム：便秘を思い浮かべる方も多いでしょうがたくさんの酵素を活性化させるために働いてくれます。

ビタミンDの吸収にもマグネシウムが欠かせません。

⑧コエンザイム：ビタミンには分類されませんが、生きていくためのエネルギー

のATPを生産するミトコンドリアにとって大事な栄養素です。

抗酸化力も強く、いい卵子だけではなく、元気な疲れにくい身体をつくってくれます。

これらが妊活中に摂取したい代表的なビタミン・ミネラルになります。日本人、特に妊活中の方はビタミン・ミネラルが不足している方が多く、それが不妊の原因にもなっています。

この項目の
もっと詳しい
説明はこちら！

https://r.voicy.jp/259D6kwYKNo

妊活で摂るべき栄養素〜サプリメント編②〜

特に葉酸は、妊娠したいと思った3か月前からしっかりと摂ってほしい栄養素です。ほうれん草から発見されたビタミンBの仲間なのですが、いい卵子を育ててくれたり、妊娠してからも胎児の先天的な疾患を予防してくれたりする大事な栄養素です。

日本人の普段の食事で摂取できる葉酸の平均値は240〜300μg（マイクログラム）。妊活中には400〜600μgは摂取してほしいので倍近く足りていないことになります。

必然的に、足らない分をサプリメントで補充していただかなければなりません。葉酸のサプリメントはたくさんありすぎて、どれを選んだらいいかわからないというお声をよく聞きます。

サプリメントには大きく分けて化学合成されて作られるものと、天然原料の2種類があります。葉酸に関しても、合成葉酸と天然葉酸の2種類があります。

特に葉酸に関しては、どれだけ含まれているかという「含有量」よりも、どれだけ「吸収しやすいか」というところに注目してほしいです。なぜなら合成葉酸を摂取しても、それを活性化して体内に取り入れることができない日本人が多いのです。

カウンセリングをしていると「サプリメントはなにをどのように選んだらいいのか」という質問を受けます。

本来はあなたに必要なサプリメントを選ぶときは血液検査などのデータから現在の状態をみて、今のあなたの身体に必要な栄養素は何かを判断していかないといけません。

天然由来のものは自然の食品からつくられています。

化学合成のものは、よいものであればトウモロコシ由来のビタミンを化学合成しているものもありますが、多くはオリーブオイルや石油からつくられています。特に安価なサプリメントや薬は化学合成で石油を原材料にすることが多いです。

葉酸のサプリメントにも合成葉酸と天然葉酸があります。合成葉酸のほうが体内への吸収率は高いですが、日本人の約7割が合成葉酸を摂取しても葉酸として活用しにくい身体であるという研究結果もあるそうです。合成葉酸は活性化されにくい、すなわち吸収されないまま蓄積されていき、よくないことも起こり得るといわれています。

それは妊娠にまで至らなかったり発がん性物質に変化する可能性、神経系に障害を与える可能性もあるというのです。

産婦人科などで売っている葉酸のサプリメントですが、食品なので原材料と栄養成分が明記されています。

日本には食品が何から作られているかがわかるよう、原材料と成分表示の義務があります。気をつけないといけないのは、葉酸のサプリメントなのに原材料欄に葉酸と記入され

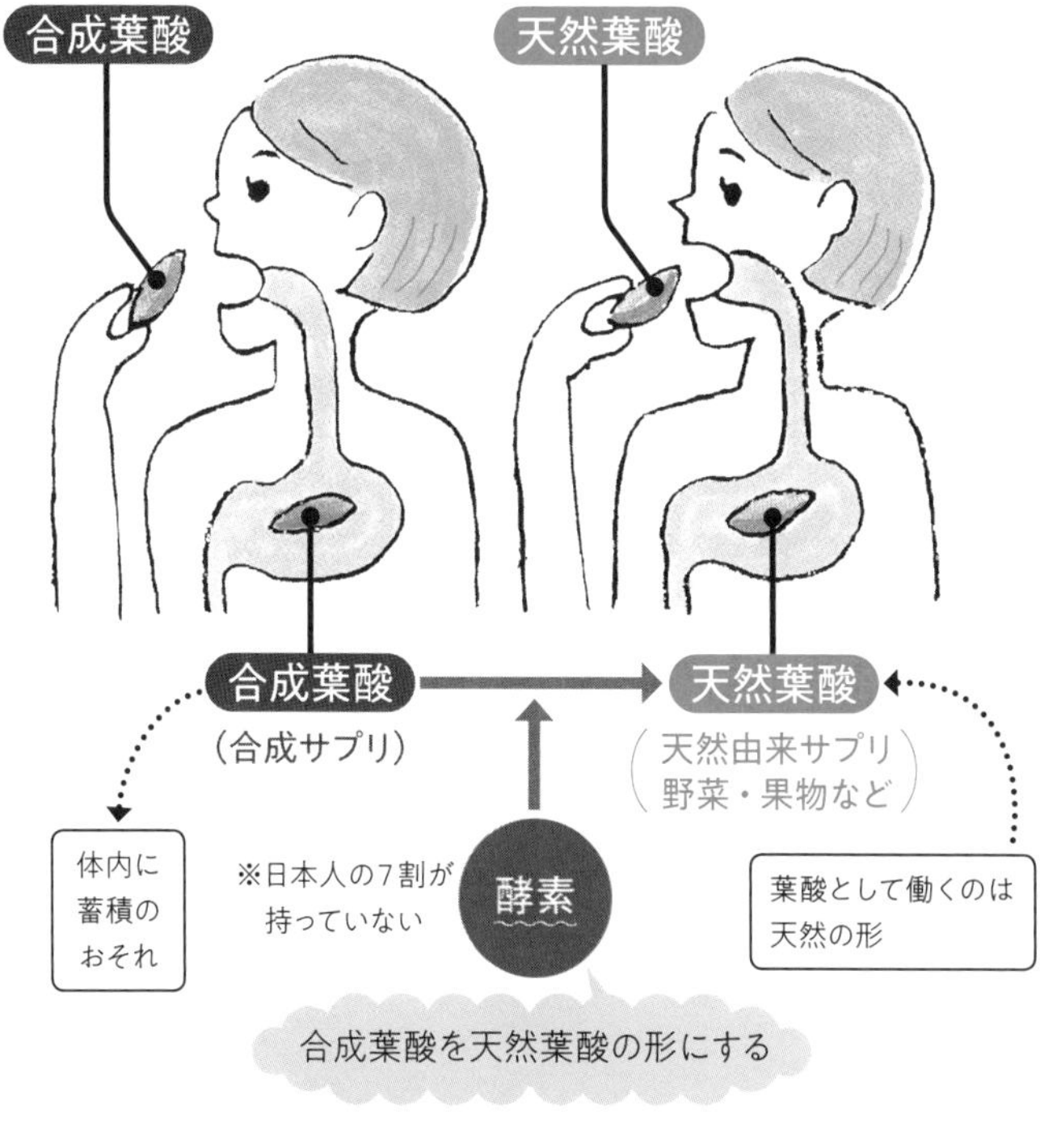

ていることです。それは原材料が合成でつくられた葉酸をもとにつくられたものという意味です。

葉酸のサプリメントで原材料が葉酸、ビタミンCのサプリメントで原材料がビタミンCと書いてあるものは、それはすべて合成のサプリメントということになります。成分量がどれだけ含まれているのかということも大事ですけれど、天然成分からできているものを選んでほしいです。

では、天然の葉酸のサプリメントを見ていこうと思います。

天然の葉酸を探すのも大変ですが、わたしの鍼灸院と漢方薬店で取り扱っているものですが、表記を見ると、商品名のところには葉酸と書いてなく、天然ミネラルと記載されています。

天然のサプリメントですが原材料名を見ていただくと黒棗《くろなつめ》・朝鮮人参・阿膠《あきょう》

（コラーゲン）とあります。阿膠はロバの皮から抽出されるコラーゲンのかたまりです。ロバの皮なので天然です。阿膠は漢方薬の材料にもなっていて、血の巡りをよくしてくれます。

この葉酸サプリメントの材料は黒棗・朝鮮人参・阿膠の天然のもの3つだけです。

合成葉酸は体内に吸収されるために酵素の力を借りて吸収しやすいように変える必要がありますが、天然葉酸はすぐ身体に吸収されます。

サプリメントを購入する前にまず大切なこと、それは各栄養素とも基本は食事から摂るのが望ましいということです。

葉酸サプリを飲んだほうがいいと聞いたから安易に葉酸のサプリメントを買う

のではなくて、まずは現在の食生活の見直しをして葉酸がたくさん含まれている食材を意識して摂る。そのうえで補佐としてサプリを摂りましょう。

症状が出ているならばそれを改善するために、こういうビタミン、ミネラルが必要という判断が必要ですので、ご自分で判断しづらい場合は専門家に相談してみてください。わたしのような専門家に相談してみるのが一番ですね。

決してサプリメントを値段や含まれている成分量だけで選ばないことです。配合量が多いという理由だけでサプリメントを選んでしまうと結果的に吸収されにくくなることもあります。

摂ったものが無駄になってしまう、要らないものを摂ってしまうことになりかねません。サプリメントは天然由来のもののほうが値段は高くなります。安いという理由でサプリメントを選ぶなら、まず食事を見直すほうが先だと思います。

足らない栄養を高くてもよいもので補うという考え方をしてください。ご自分の判断でサプリメントを買われるときは、必ず裏を見てどういうものからつくられているのかを確認してください。

サプリメントは食品なので原材料表記を見て、それが天然のものなのか合成のものなのか見極める、それが選ぶポイントです。

この項目のもっと詳しい説明はこちら！

https://youtu.be/mzw3CcL76L8

https://r.voicy.jp/kaK5OvErVBN

第6章

知ってはいたけど……。
やはり妊活の大敵は
ストレスだった

言葉は知っている『自律神経』その正体は？

妊活中のあなたが気になるホルモンのバランス、血流の改善、冷えやむくみの解消、基礎体温。これらはすべて自律神経の働きによります。

みなさんはよく「わたしは自律神経失調症かも」とおっしゃいます。では、この『自律神経』とはなんなのか？　どういったものかをしっかり理解できているでしょうか？

自律神経には2つの種類があります。

交感神経と副交感神経です。この2つは別々の神経なのですが、両方とも自律神経です。名前は聞いたことありますよね。

たとえば通勤のとき、電車があと5分で出発する。あなたは小走りで駅に向かいます。

すると当然、心臓は少し鼓動を速めます。このように運動しているときに活発に働くのが交感神経です。

小走りに走って駅に向かったので無事に電車に間に合いました。ラッキーなことに座席にも座れました。

そうするとあなたの自律神経は心臓に「もとに戻っていいよ」という命令を出し、そこで身体を休めるほうの神経である副交感神経が働き出します。

このように、交感神経と副交感神経はシーソーのような関係にあります。

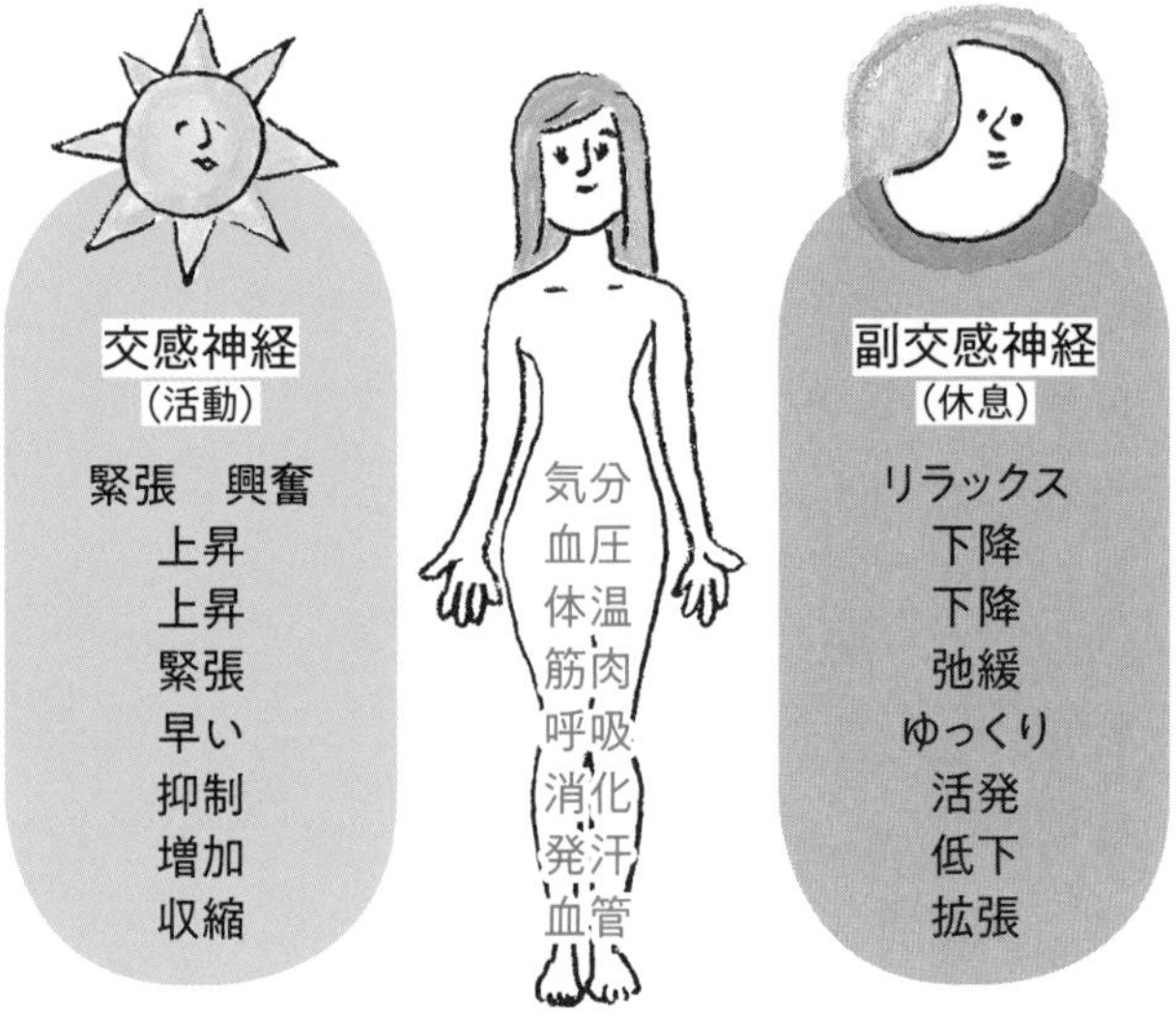

ほかにも交感神経が優位になるときは、物事に集中しているとき、興奮状態にあるとき。少しイラっとして、ストレスが溜まってくるとこの交感神経が高ぶってきます。

コロナ禍の規制が強かった3年間で非常にストレスが溜まっている方が増えてしまっています。

ただでさえストレスだらけなのに、残業続き、ＰＣの画面を見続けて、満員電車でマスクをして息苦しい。仕事から家に帰ってきてもなかなか仕事モードが抜けない。家に帰ってきたら身体をゆっくり休めないといけないのにこの仕事モードが抜けないために交感神経が興奮したままで、身体を休めるための副交感神経がなかなか働いてくれない。そんな方が本当に多いです。

交感神経が高ぶっていると当然、副交感神経の働きが悪くなるので疲れがとれにくく、疲れているのに夜寝つきにくくなる。目が覚めてもぐっすりと眠れた感じが少ない。あなたも、あなたのパートナーもそうなっていませんか。

交感神経と副交感神経は別々の神経なので、交感神経は交感神経の、副交感神経には副交感神経の、それぞれに正常な範囲があります。

ですからそれぞれの神経の働きが正常な範囲の中に収まり、バランスがとれていると自律神経が整っている、ということになります。

自律神経が整えばホルモンのバランスがよくなり、血流が改善し血流とともに水分代謝がよくなります。結果的に手足のむくみや冷えが解消していきます。

わたしは鍼灸で患者さんが早く授かるためのお手伝いをさせていただいているのですが、わたしの鍼灸の治療でできることは、この自律神経を整えるということです。

鍼灸の効能は『自律神経を整える』。これに尽きます。わたしは自律神経を整えることが得意です。自信も経験もあります。わたしは主に「井穴刺絡《せいけつしらく》」という鍼の方法で施術をします。

わたしの鍼を受けていただくと大半の方にその瞬間に自律神経が整ったことを実感していただいています。多くの方が驚きの声を上げられます。

それほど鍼灸というのは即効性がある治療法なのです。

お近くに自律神経を整えることが得意な鍼灸院があれば、ぜひ一度受けてみてほしいなと思います。

では、あなたがご自分で自律神経を整える方法をお伝えしていきます。

自分の意識で心臓を止めたり、汗をかいたり、体温を上げたり下げたりすることはできませんよね。

普段は自律神経がその働きをコントロールしてくれているのですが、自分の意識でもコントロールできるものがあります。

それは「呼吸」です。

じっくりとゆっくり深い呼吸、すなわち深呼吸をします。気持ちを落ち着かせて深呼吸をすることによって、副交感神経が優位になってきます。身体を休めたいとき、ストレスを抑えて気持ちを落ち着かせたいときなどに深呼吸をしていただくとかなり有効です。

逆に意識的に「はぁはぁはぁはぁ」と小刻みな呼吸をすることもできますよね。

この小刻みな呼吸、すなわち運動しているときのような呼吸を行うと交感神経が高ぶってきます。実際には運動をしていただくのがいいのですけれどもね。

たとえば、身体に湿疹ができてかゆみがある場合、その場で駆け足をするといいです。少し心拍数が上がるぐらい運動してみてください。そうすると交感神経が優位になり副交感神経が下がりますのでかゆみが軽減される場合が多いのです。

普段からのウォーキングで大丈夫なので、運動習慣をつけていただくと自律神経も乱れにくいですよ。

そしてこの自律神経を一番乱すものが「ストレス」なのです。

この項目のもっと詳しい説明はこちら！

https://youtu.be/wDuR7iX1SKI

https://r.voicy.jp/Yd9eAJ8z9k4

やはりストレスは子宮・卵巣に直結していた

ここからは妊活とストレスの関係について考えていきます。

日々、赤ちゃんが欲しいと頑張っている多くの患者さん、そしてネットカウンセリングを通してアドバイスをさせていただいているみなさんには、やはりストレスが溜まっている方が非常に多いです。

そもそもわたしのもとにいらっしゃる方は、なかなか授かれないで、長い間妊活を頑張っている方ばかりです。なぜ自分が妊娠できないのかというストレス。妊活自体もストレスになってきます。

そして多くの方は、妊活と並行して家事をされ、お仕事もされています。2人目以上を望まれている方はそこに育児まで加わってきます。

自分を犠牲にされている部分も多いはずです。頭の下がる思いがします。

このストレスをなんとか我慢し、ごまかして生活をできている間はいいでしょう。けれども、限界を超えてしまうと大変なことになります。

限界を超えていなくても、そのストレスが溜まってくると、さまざまな身体の不調が起こってきます。

女性の子宮・卵巣はストレスの影響を直接受ける臓器だといわれています。

当然、ストレスが多いとホルモンバランスが崩れ、結果的に卵子の成長が悪くなる。すなわち卵子の質が悪くなるということです。

では、ストレスへの対処法を考えていく前に、みなさんがどういうストレスを持たれているかというところを考えていきましょう。

9つの妊活中のストレス

この部分は、しっかりとパートナーにも読んでもらってください。自分ではなかなか伝えられていない、伝えきれていないところだと思います。あなたの愛する奥さんはこんなにストレスを抱えながら、愛するあなたの赤ちゃんを授かりたい一心で頑張っていることを理解してほしいです。

①精神的なストレス

妊活はゴールが見えない。真っ暗な中を手探りで進んでいるように感じている方も多いです。

ゴールまでの距離は人によってさまざまです。実はそのゴールがすぐ目の前にある人にとっても見えていないので、すべての人が同じ不安を抱えて妊活をされているんですね。

その見えないゴールを少しでも手前に引き寄せていくこと。これが妊活です。『ゴールが見えない』これこそが最大のストレスの源ではないでしょうか。

流産の経験がある方は、次また妊娠できても流産してしまうのではないか。そんな不安も絶えずつきまといます。

せっかく、授かったわが子が空に帰ってしまう。自分の中にできた命だからこそ、悲しみやつらさは言葉では表現できないものでしょう。

あのつらい経験を繰り返したくない。

稽留流産《けいりゅう》ともなると、赤ちゃんを外に出すために掻破《そうは》の手術が必要になる場合もあります。

こうなると、精神的なものに加えて肉体的なダメージも受けてしまいます。

また、妊娠が継続しても元気な赤ちゃん、できれば健常な赤ちゃんを授かりたい。子どもを望む親としたら当たり前の希望です。さまざまな不安、心配がストレスとなって蓄積していきます。

②タイミングを合わせてなかよし（性交渉）をすること

1年以上結果が出ないと、このタイミングをとること自体がしんどくなってきます。
本来は愛の行為であるなかよしが義務的な『挿入→射精』という行為になってしまう。

女性にとっては大事な日。排卵日。
その日にタイミングを合わせないといけない。その日あたりにできるだけ回数をとらないといけない。

男性にとってはプレッシャーとしてのしかかってくる場合もあります。それが射精障害やEDにもつながりかねない。

本来はなかよしをしてその愛の証《あかし》として子どもを授かるはずなのに、妊娠するために行為だけを優先して考えてしまう。

排卵日の周辺だけに行為が集中して、本来の性生活自体が疎かになっている方も非常に多いです。

夫婦なのに、相手に対して変に気を使うようになったり、遠慮をしたり喧嘩になったり。夫婦間が妊活でギクシャクしたりもします。

③クリニックの治療

病院に通っている方は病院での不妊治療自体がストレスになってきます。

・通院

まずは病院に行くこと自体がストレスになってきます。

予約の時間に遅れずに受付をすませても、非常に待ち時間が長い。

仕事の時間を工面して病院に行って待合室で2時間待って、検診はたったの5

分。本当によく聞くお話です。

そして、検診後にお薬の受け取りまでまた時間がかかり、さらに支払いで待たされる。

1回病院に行くのだけで半日仕事になってしまいます。

これが採卵の周期だとドクターに指示されるがままに、急に次の来院の日にちを指定されます。結果が出ずに長く通うほど通院のストレスは溜まるいっぽうだと思います。

・検診

ドクターに聞きたいことがたくさんあるのだけれども、とても忙しそうでなかなか聞きづらい。ドクターによっては『聞かないでオーラ』を出しているような方もいらっしゃるみたいです。聞いてもらえる雰囲気ではないということ。

それ以前に素人である患者さん側からすると、妊活に対する深い知識がないために何を聞いたらいいのかすらわからない。

治療の方針をしっかり理解できていなかったり、処方される薬もいわれるがままに飲んで「なんのための薬で、どういう効果があるのかよくわからない」と思いながら妊活をされている方も多いです。

・治療

検診台での診察は、男のわたしが考えても不快な姿勢であることは理解できます。いくら検査とはいえつらいですよね。

内視鏡にしても超音波エコーにしても異物が中に入ってくる不快感がある。

治療が痛い。採血の注射も太い針です。一瞬で終わるとはいえ痛くないことはない。

必要な検査ではあるのですが、卵管検査もあります。水や造影剤を卵管の中に注入する。これは当然、卵管が細い人や閉塞している人にはたまらない痛みです。わたしのワイフはこの検査が痛すぎて、その後の治療を拒むようになってしまいました。

体外顕微授精となると、お腹から針を刺し、子宮を貫き、卵巣の中から卵胞を取り出す採卵を行います。

これをクリニックによっては麻酔なしで行うので、男のわたしは想像しただけで気を失いそうです。

・薬

不妊治療中にはさまざまな薬が処方されます。多くはホルモン剤になるのですが、薬を飲むことによっての副作用が多少なりとも表れます。気分が悪くなったり、頭が痛くなったり、胃がもたれたり、イライラしたり。そういう薬のつらさをストレスに感じている方もたくさんいらっしゃいます。

・お金

体外受精・顕微授精など高度生殖医療にまでステップアップしてしまうと、その分費用も高額になってきます。支払う金額の多さに金銭感覚が麻痺してしまうという方も多くいらっしゃいます。令和4年4月から不妊治療が保険適用になりましたが、それでもそれなりの金額がかかりますし、年齢や回数によっては保険適用外になってしまう場合もあります。

④仕事のこと

多くの方が仕事をしながら妊活をされています。

仕事との両立ということで、今の仕事をしながら妊活がいつまで続けられるのか。無事に授かったとしても、その後に仕事と両立していけるのか。

仕事をされている方はなかなか通院もしにくく、時間の都合をつけるために職場に迷惑をかけているという仕事仲間への気づかい、そしてその人たちからの視線も気になってしまいます。

⑤日々の疲れ

これがどんどん溜まっていってしまいます。

朝、目が覚めて朝ごはんの用意をしてメイクをして出勤する。

そして会社では気を使いながら仕事。時には残業を強《し》いられて、疲れて帰ってきてからも夕食の準備、食後の後片づけ、お風呂の準備、洗濯、掃除。たくさんの家事があなたに肉体的、精神的に負担をかけ続けてきます。

⑥産後のこと

出産後も考えると不安がいっぱい。

自分に子育てができるんだろうか。

金銭的にもきっちりと子育てをしていけるか不安です。

⑦夫婦関係・人間関係

長く妊活を続けるほど、そして結果が出ないほど、夫婦間の考えの相違など、ギクシャクした部分を感じている方が多いようです。男女の考え方は根本的に違うところがあります。そこを理解しきれないし、理解していても我慢できないときもありますよね。

不妊治療は身体のリズムや卵子の育ち方によって、不規則な通院が必要になってきます。

精神的なストレスを他人から感じる。その相手には悪気はないとは思いますが、他人からのさりげない言葉にもストレスを感じるようになります。

実家に帰ったとき、「赤ちゃん早く欲しいわよね」「早く孫の顔が見たいわ」といった言葉もズキズキ刺さるようになってきます。

仲のよい友人が先に授かったり、職場でも後輩が妊娠したりしても、他人の妊娠出産報告を素直に喜べない。そういうもどかしさも感じられていると思います。

久しぶりに会った友人に「赤ちゃんまだなの」と聞かれるのもつらくなってきます。大きなお世話なのですけれどもね。

ストレスには精神的なものだけではなく、肉体的なものもたくさんあります。これもまぎれもないストレスです。

2人目の妊活ですと、さらに育児というストレスがプラスされます。

女性は毎日これだけ頑張っているということを男性は理解をして、協力していかないといけません。

この項目のもっと詳しい説明はこちら！

https://youtu.be/wN5hSBLwir8

https://r.voicy.jp/GQVQaW1AVkW

妊活ストレス解消法

妊活中にはこれだけたくさんのストレスを受けていることがおわかりいただけたと思うのですが、少しでもこのストレスを減らしたいものですよね。

しかし、ストレスの根本的な原因をなくすことは難しいのです。そしてストレスを軽減することも難しく、逆にどんどん溜め込んでいるんじゃないでしょうか。

ですがストレスを軽減する方法はあります。これからいくつかお伝えしていきます。

☆幸せを感じること

幸せだと感じられることを増やすこと。それができれば、ストレスの感受性を抑えられます。

幸せ物質を増やすことができればそれがストレスの軽減、対処法になるのです。

まず、この幸せ物質について解説をしていきます。

幸せ物質といわれるものは３つ

・ドーパミン
・セロトニン
・オキシトシン

どれも名前は聞いたことがあるのではないでしょうか。

ドーパミンとセロトニンは神経伝達物質です。神経伝達物質とは人間の脳内で情報の運搬をしてくれる化学物質のことです。

ドーパミンはやる気や幸福感を得られるだけではなく記憶・感情・思考・理性・意識・理解など多くの心の機能に関与しているといわれています。

快楽物質ともいわれ、幸せ感や高揚感を引き立たせてくれます。

それではここから、ドーパミンを増やす具体的な方法を紹介します。

★運動習慣をつける

まずは運動、特にジョギングがいいです。走り続けているとランニングハイといわれる状態になることがあります。明らかにドーパミンがたくさん出ている状態です。妊活中はもう少し軽いウォーキングなどの有酸素運動のほうがおすすめですが、移植や排卵までの期間はジョギングもいいです。

★音楽を聴く

これは寝ながらや何かをしながらのBGMとして聴くのではなく、その音楽の中に入っていくような聴き方が必要です。コンサートに行ってしっかりと聴き入るのもいいですね。

★瞑想《めいそう》

最近は瞑想される方も増えていますがこれもドーパミンを増やしてくれます。

★ドーパミンを増やす食材

ドーパミンの原材料はタンパク質です。その中の必須アミノ酸であるフェニルアラニンとチロシンが合成されて作られます。

このアミノ酸を多く含む食品は、アボカド、ナッツ、バナナ、牛肉、豚肉、卵、チーズ、カカオなどです。大豆の製品も植物性のタンパク質が補えます。

次にもう1つの神経伝達物質・セロトニンについて説明していきます。

セロトニンはその効果としては、気持ちをリラックスさせてくれ、安心感や幸福感などをもたらしてくれます。それゆえにストレスを緩和する効能が非常に高く、精神安定剤とよく似た分子構造をしています。自分の体内で生成されるのでお薬と違い副作用もなく安全です。

★午前中に日光を浴びる

セロトニンを効率よく増やすためには、目が覚めたらまず朝日を浴びることです。できれば起床から30分以内に日光を浴びるようにしましょう。時間にしたら15分で結構です。

朝起きて日光を浴びると、頭がすっきりして清々しい気分になるのは、セロトニンのおかげです。

★セロトニンを増やす食材

セロトニンを増やしてくれる栄養素は、必須アミノ酸のトリプトファン。

このトリプトファンがたくさん含まれるのは、カツオやマグロなどの赤身の魚です。納豆や豆腐などの大豆製品、ナッツ、バナナにも含まれます。ドーパミンと共通していますよね。

セロトニンを生成するときに補助的に必要なのが、ミネラルのマグネシウムです。忘れずに摂取しましょう。マグネシウムは海藻類に多く含まれています。

この2つの神経伝達物質は腸で作られて脳に運ばれるという研究結果もあります。ですから腸内環境を整えていくことも大事です。

☆オキシトシンを増やす

最後に幸せホルモンと呼ばれているオキシトシン。これはストレス中枢（ストレスを感知する部分）でもある視床下部《ししょうかぶ》で作られる、ストレスの緩和作用が高いホルモンです。

受けるストレス自体をなくすことはできませんが、緩和する、受け流してくれるホルモンが同じ場所で増えれば、ストレスをストレスとして感じにくくなってきます。

ありがたいことに、この幸せホルモンのオキシトシンは自分で増やすことができます。

幸せホルモン、オキシトシンを増やす方法

★ペットを飼ったり、動物とふれあう時間を作る

実際にペットにふれたり、動物の動画を観たりするだけでも、かわいいなと心の底から感じられると思います。その瞬間にオキシトシンがたくさん分泌されます。

だから、昔から人間は犬や猫のペットを家族の一員のように飼うことによって幸せを感じ、ストレスを緩和してきたのだと思います。

後はご自分のテンションを上げていけそうなことを積極的にしてみてください。

具体的には、

★ヘアサロンで髪型を変えたり、ヘアカラーをしてみる
★新しい服を買ったり、季節や気分にあったネイルに変えてみる
★Netflixなどで映画やドラマに没頭する
★パートナーとおいしいものを食べたり、一緒に旅行に行く
★明るい楽しい未来をイメージする

そしてあなたが、もうすぐ経験できる、人生で一番幸せな瞬間、オキシトシンがマックスに出るのはいつだと思いますか？

それはあなたが出産されて、愛しいわが子をその胸に抱いて、はじめておっぱいを与える瞬間。

ご自分の近い将来の姿を、赤ちゃんに授乳しているときの姿を想像してみてください。それだけで幸せな気分になりますよね。

★質のよい睡眠をとる
★人間関係を見直す

ストレスの一番の原因は人間関係だといわれています。
社会の中で暮らすということはさまざまなたくさんの人とかかわって生きていかなければなりません。仕事場や取引先との人間関係。友人や隣人、家族、親戚など多くの人。本当に大変です。

基本的には自己中心でいいと思います。妊活中の人づき合いの心の中での線引きは必要で、自分の妊活を応援してくれるかどうかでつき合い方を変えればいいと思います。気を使いながらおつき合いするのはストレスですよね。自分が今、妊活を頑張っているというのを素直に話ができるか否かが、人付き合いの線引きになると思います。場合によっては親兄弟も線の向こう側になるかもしれません。

やはり素直になんでも相談できる相手が欲しいですよね。特に正しい妊活の知識を持っていて、あなたの話をしっかりと聞いてくれ、アドバイスをしてくれる専門家がいいですね。客観的にあなたの妊活や身体のことをアドバイスしてくれたらきっと早く授かれると思います。

もしそんな信頼できる相談相手がいないなら、ここにいますよ。ネットでカウンセリングをさせていただいています。お気軽にご連絡ください。

以上がストレスの緩和方法になります。

1つでもできるものを実践していただき、ストレスに負けないようにやっていきましょう。

この項目の
もっと詳しい
説明はこちら！

https://youtu.be/1dv4HzNZR6U

https://r.voicy.jp/qkKnDoDg91o

第7章 正しいタイミング法

40人クラスの38人は自然妊娠

厚生労働省は毎年人口動態統計を調べてＨＰに掲載しています。

これは日本の人口の推移、何人生まれて何人亡くなったかをまとめたものです。

この資料の中に子どもの出生数の年次推移および母親の年齢に関するデータがあります。

令和３年のデータが最新確定データとして掲載されています。

出生数の動向とともに母親の年齢を見てみると、25〜39歳の方が日本の出生の大半の85・7％を占めているということになります。

仕方がないのですが、年齢が上がるにつれて妊娠率・出生率はともに下がってきてしまいます。反対に、流産率は上がる傾向にあります。

そして、子どもの出生数に関して日本産科婦人科学会による、体外受精・顕微授精、すなわち人工授精より上の高度生殖医療を行ったときの成績をまとめたデータがあります。

令和2（2020）年のデータですが、30～34歳の方の出生数は30・3万人で、高度生殖医療で授かった数が1・93万人。パーセンテージでいうと6・4%。

35～39歳の方の出生数が19・6万人で、高度生殖医療による出生数が2・48万人。12・6%。

全体数で見ても出生数84・1万人に対して高度生殖医療による出生数は5・9万人なので、たった7・0%なんです。

つまり、どの年齢においても自然妊娠で出産される方のほうが高度生殖医療で出産される方よりも圧倒的に多いということです。全出生数の93・0%が自然に命を授かっています。安易に高度生殖医療に頼るべきではないのかもしれません。

もちろんさまざまな要因で高度生殖医療に頼らざるを得ない方もいらっしゃいます。

しかし、この事実、数字からわかるように、自然に授かる方が大半だという事実があるのです。

ですから、赤ちゃんが欲しいと思われている方は、まずは自然妊娠を目指しましょう。自然に妊娠できる身体をつくっていきましょう。

学校では教えてくれなかった妊娠の方法

『2・4・6の法則』と『月6回の法則』

自然妊娠を目指しているあなたにとって一番重要なポイント、正しいタイミングのとり方について、さらに詳しく説明していきます。

みなさんがタイミングをとるときに一番意識されているのは、もちろん『排卵日』だと思います。

しかしタイミングのとり方で一番間違えてしまっているのが、この排卵日をピンポイントで狙うことなんです。

『排卵日』は狙うと外れます。高確率で外れます。

そもそもこの排卵日の予想、特定というものが非常に難しく、また、人間の身体ですから「絶対にこの日に排卵する」と特定し、予想することは不可能です。

仮にもし来週の日曜日に必ず排卵するとわかったとしましょう。ではあなたはいつタイミングをとりますか？

妊活されている方が圧倒的に間違えているのが、この日曜日、ピンポイントに排卵する日を狙って、タイミングをとっていることです。

しかも、この日曜日に1回だけという方も多く、プラスしていても前日の土曜日、そして翌日の月曜日。この3日間だけタイミングをとれても、その周期に妊娠ができる可能性はもちろんゼロではありませんが、10％未満しか期待できません。この方法を繰り返してきたから、あなたは結果的に妊娠できていないということです。

実は一番妊娠の確率が高いのは、排卵日の2日前です。

理想のタイミングのとり方はこの排卵日2日前を含め、それ以前の排卵日6日前から2日前まで毎日なかよし（性交渉）をすること。すなわち5日連続でタイミングをとることができたら、あなたの卵子、パートナーの精子に全く問題がない場合、

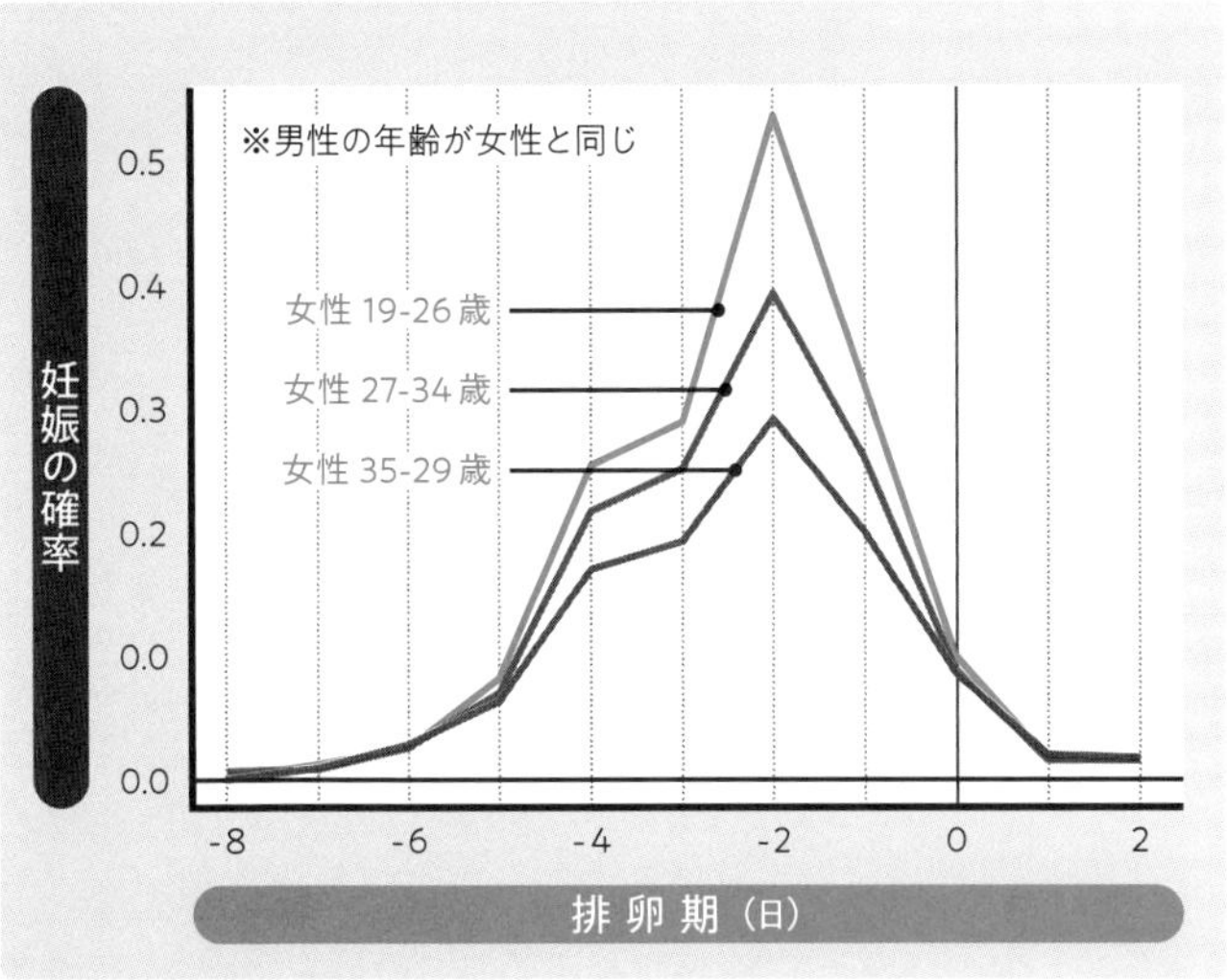

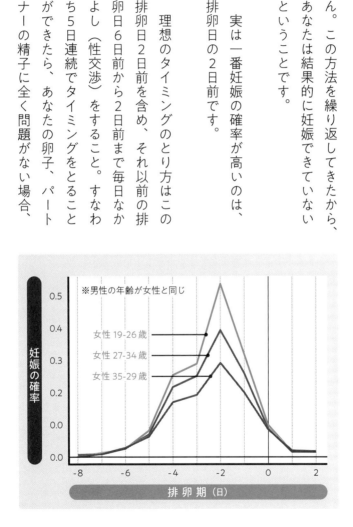

その周期の妊娠率は50％程度期待できます。

１００％の確率で妊娠ができるタイミングをとる方法や、妊活は存在しません。タイミング法においてその確率が40％を超えればかなりの高確率と考えてください。

「連続5日間も無理だよ」とおっしゃる声が聞こえてきます。

そうですよね。あなたもパートナーも毎日仕事をしながら、疲れた生活の中で妊活を頑張っています。さすがにこれはちょっときついかもしれません。

しかし、タイミング法においてなかよしが1回だけというのは、常識的に考えても回数が少なすぎます。

わたしがみなさんに推奨しているタイミングのとり方は、排卵日の2日前・4日前・6日前の3回。この3回でタイミングをとれたら妊娠率は40％まで引き上げることができるのです。

『2・4・6の法則』

ではわたしが推奨するこの2日前・4日前・6日前の3回。こちらの方法がなぜ妊娠率を上げるのかを解説します。

まず毎月1回、その周期に排卵されるあなたの卵子の寿命は時間でいうとどれぐらいかご存知ですか？

わたしは排卵してから24時間が卵子の寿命と教わりました。

しかし最近の研究ではその寿命はもっと短く、6時間から12時間。もちろん個人差はありますし、周期によって卵の質が違うことはありますが、24時間とはいわれなくなりました。

すなわち排卵された卵子は、少なくとも12時間以内に精子と出会わないといけない――ということになります。

だから、この短命な卵子をピンポイントで狙いにいっても的中する確率は低く、受精の可能性は極めて低いのです。

いっぽう、パートナーの精子に問題がなければ射精後、卵管に到着した精子は3日から5日ぐらいは受精能力があるといわれています。この『少なくとも3日間の受精能力』を利用するのが正しいタイミングの考え方です。

正しいタイミング法

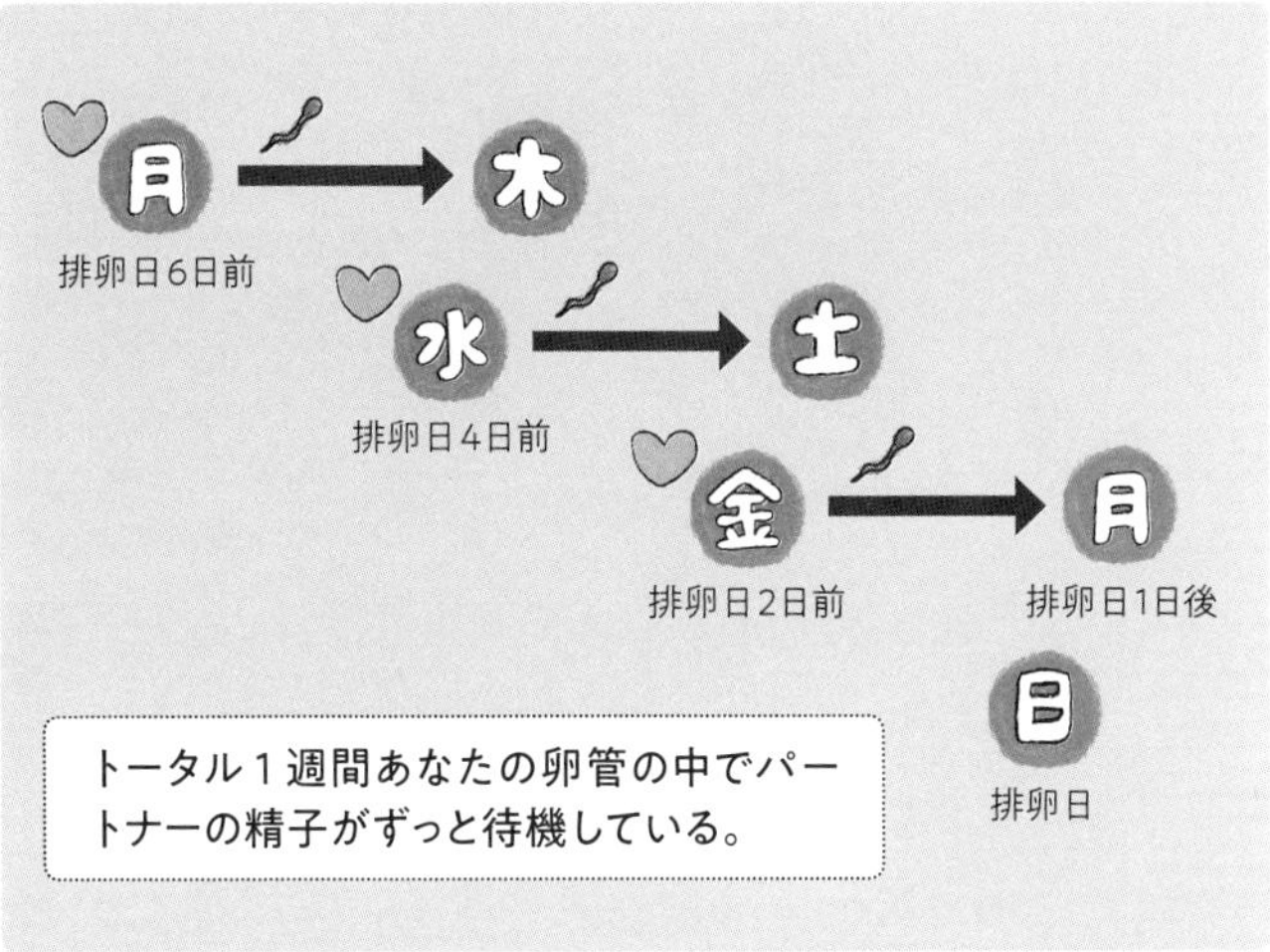

最初にお話ししましたように、日曜日に排卵をすると仮定しましょう。

2日前・4日前・6日前の3回でタイミングがとれた場合を見ていくと、まず6日前（月曜日）にタイミングをとると、卵管に届いた精子はそこから3日間、排卵日の3日前（木曜日）まで生きています。

次に4日前（水曜日）のなかよしで届いた精子はそこから3日後、排卵日の1日前（土曜日）まで生きている。

最後に2日前に射精された精子は排卵予定日を越えて翌日まで生きています。

ということは、排卵予定日の6日前から翌日までのトータルで8日間、ずっとあなたの卵管の中でパートナーの精子が待機しているんです。どのタイミングで排卵されたとしても、あなたの卵子が卵管に到着した時には精子がそこで待っていてくれているのです。

すなわち、あなたの卵子とパートナーの精子が必ず出会うということ。待ち合わせ場所にパートナーが必ず先に着いていていてあなたの卵子の到着を待ち続けていてくれているんです。

きっちりと卵子と精子が出会うこと。これが受精の必須で最低条件になります。

このタイミングのとり方をわたしは『2・4・6の法則』としてみなさんにお

伝えしています。

わたしのYouTubeチャンネルでこの動画『正しいタイミング法』（2・4・6の法則）は60万回以上再生されており、コメントを見ていただければわかりますが、このとおりに実践されて妊娠したという報告を全国からたくさんいただいています。現在も後を絶ちません。

みなさんもぜひ『2・4・6の法則』を試してみてください。

加えて、タイミング法で自然妊娠を希望する方に、お願いしたいことがあります。

『月6回の法則』

なかよしの回数を増やしてください。
生理の期間を除いてもまだ4週ありますよね。
ですから毎週1回そして排卵の週にプラス2回、合計6回のなかよしをしてください。

排卵の週の3回（2・4・6の法則）は、先ほどお話ししたように妊娠するためのなかよしになります。

あとの週1回の3回は、たとえば生理が終わった直後、排卵後の高温期となり、こちらの3回は妊娠に直結している時期ではありません。でもここが大切。

赤ちゃんが欲しいと思う人ほど排卵前後になかよしが集中してしまい、そのほかの日々はしていない方が非常に多いのが現状です。

着床が成立した場合の高温期のなかよしでは、妊娠を継続してくれる免疫が上がるという論文が出ています。

その周期に残念ながら着床が成立していないときでも、直後の高温期にはもう次周期の卵が育ち出しています。そして着床が成立していないときの高温期のなかよしは次周期の卵の育ちをよくしてくれます。

ホルモンのバランスを整えてくれるし、たくさんなかよしをすることによってあなたの身体が赤ちゃんをつくらないといけない、赤ちゃんをつくる時期なのだというスイッチが入ります。

ですから『2・4・6の法則』に加えて毎週1回、合計月6回のなかよしをしていただくと妊娠率も上がります。なによりもあなたの身体自体が妊娠準備の体勢に入ります。

これは、男性にとっても頻繁に射精をする、射精の回数が増えることは精子の質を上げることにもなります。

自然妊娠を目指されている方はぜひ、このタイミングの方法を取り入れていただければグッと妊娠率が上がります。

ぜひ、実践してください。

この項目の
もっと詳しい
説明はこちら！

https://youtu.be/smT9uv7wC2A

https://r.voicy.jp/poKM47PoVNQ

ここを間違えるとすべてが狂う

『2・4・6の法則』の精度を高める『排卵日の予測』

正しいタイミングのとり方と、一番妊娠率が高い日を理解していただけたと思います。

そこで、問題になってくるのは排卵日の予想です。そもそもこの排卵日の予測ができていなければ『2・4・6の法則』も効果が弱まります。

あなたはどういう方法で排卵日を予測していますか。

一般的な排卵日の予測は、

・基礎体温をつける
・クリニックで卵胞チェックをしてもらう
・排卵検査薬を使う
・身体の変化、おりものの状態を調べる
・アプリで予想日を見る

これらが多くの方がされている排卵日の予測方法になります。

難しいのは毎周期の「生理から生理までの期間が必ずしも一定ではない」ということです。

すなわち卵の育ち方が一定していないということ。

今、示した排卵日の予測方法ですが、どれか1つのみで判断するとやはり正確性に欠けてしまいます。

ですから複数の方法を用いて排卵日のデータを取ってほしいのです。これは、次周期以降の排卵日の予測のためにです。

一番確かなのは、エコーを使ってドクターに卵胞の大きさをみて判断

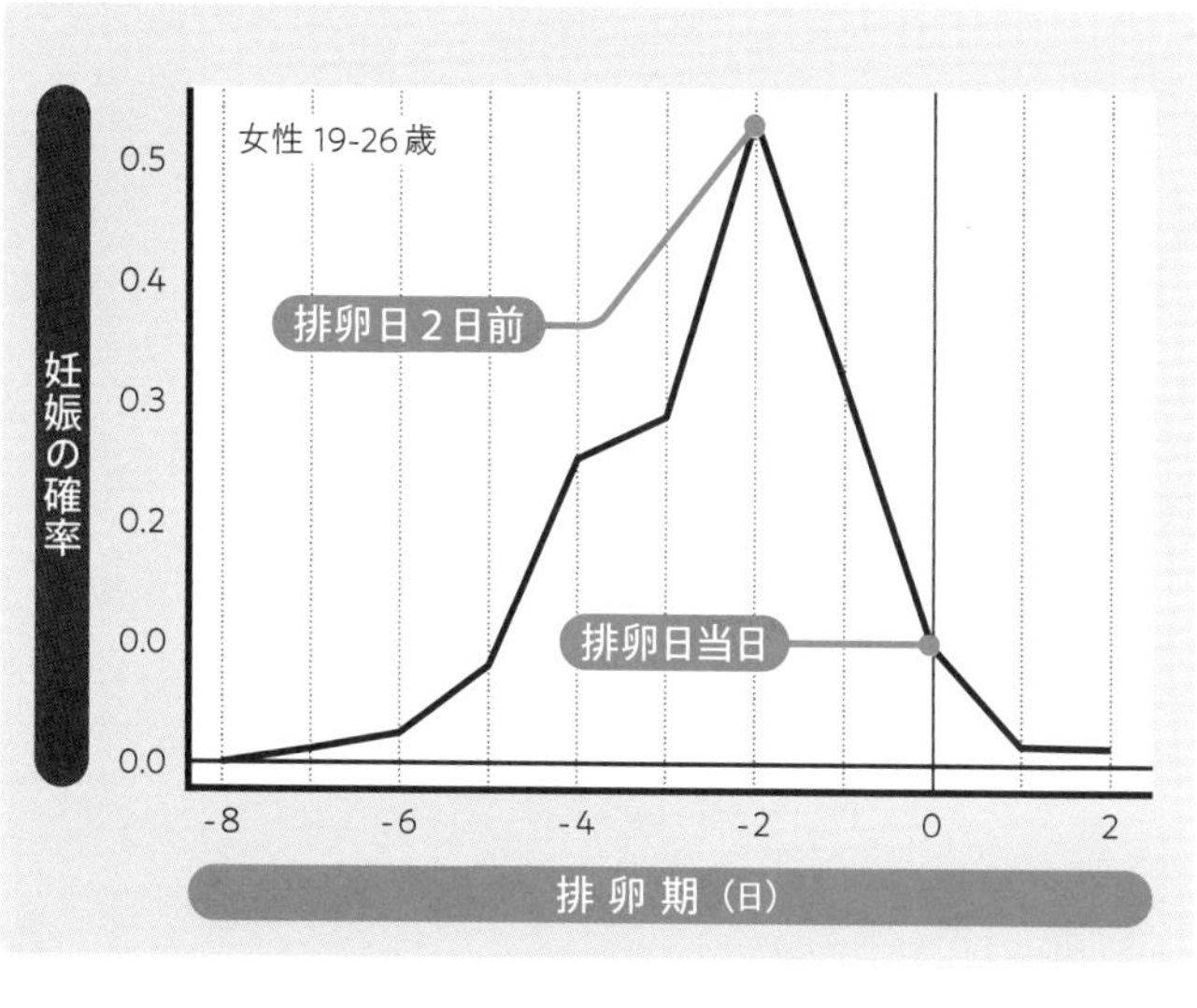

してもらうことです。エコーを使う場合は、排卵の直前の1日前や3日前に検査をすることが多く、ドクターのタイミングの指示が本来のタイミングより遅れてしまうことも多いです。

だからこそデータを取っていくことが必要になります。

たとえばクリニックで2日後ぐらいに排卵をするかなといわれたら、その日の基礎体温はどうだったのか、排卵検査薬の反応はあったのか、おりものの具合はどうだったのか。

そういった自分の情報を残し、データ化していってほしいのです。

その周期に残念ながら妊娠が成立せずに生理が来てしまった場合、次周期の排卵日の予測をしやすくなります。

排卵日の答え合わせをするのは、基本的には生理開始日の14日前が排卵日だと考えてください。

そこから生理開始日の14日前の基礎体温はどうだったか。エコーでの卵胞の大きさはどうだったか。排卵検査薬の反応はどうだったか。おりものの具合はどうだったか。このようなデータの蓄積が、正しい排卵日の予測に役立ちます。

正しいタイミング法『2・4・6の法則』を効果的に実行するためにも、より正確な排卵日の予測が必要不可欠です。

ですからぜひ、排卵日の予測を複数の手段で立てていってほしいと思います。アプリの排卵日予想はあくまでもビッグデータをもとにした平均値であり、きっちりとあなたに当てはまるものではありません。

アプリはメモ帳と考えてください。

意外と知らない正しい排卵検査薬の使い方

排卵日の予測が大事ということを書かせていただきました。その中でよくご質問いただくのが排卵検査薬についてです。

排卵検査薬の使い方について説明させていただきます。

卵子を包み込んでいる卵胞が大きくなっていき、大きさにして20㎜から24㎜ぐらいに成長した時に排卵となります。そのときに「今だ！ 排卵をしなさい！」と排卵をうながす、ＬＨ（黄体形成ホルモン）が大量に分泌されます。

ＬＨは、排卵を瞬間的にうながすために普段はそんなに分泌されていません。この大量にＬＨが分泌される瞬間のことをＬＨサージといいます。

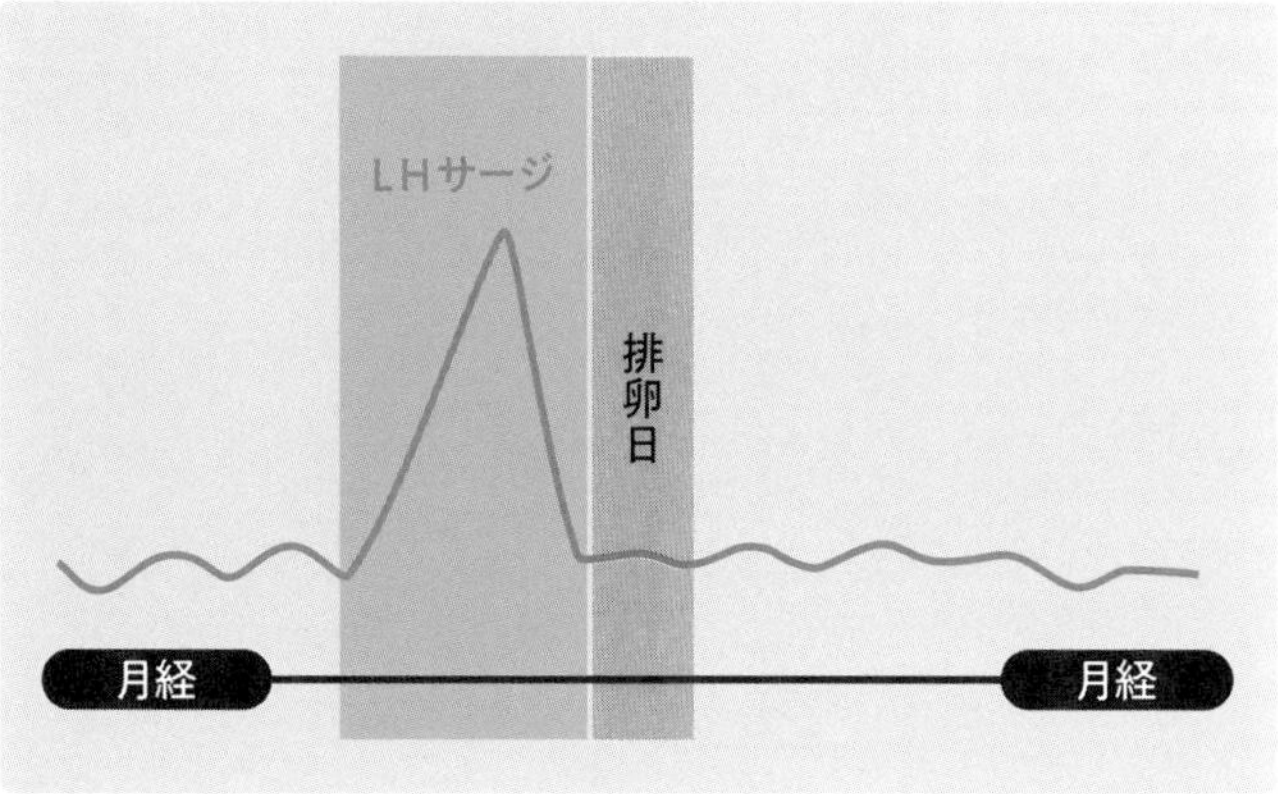

つまり、卵子が排卵される直前にＬＨサージが起こるということ。ＬＨサージが起こっているときに排卵検査薬を使うと、しっかりとしたラインで強陽性の反応が出ます。

ＬＨサージが起こる前後は通常よりもＬＨの分泌量が少し増えていますので、排卵検査薬を使うとうっすらと陽性の線が出ます。

ここで重要なことはこのＬＨサージが起こっている時間です。実にわずか8時間しかありません。

たとえば排卵日付近に朝起きてすぐに排卵検

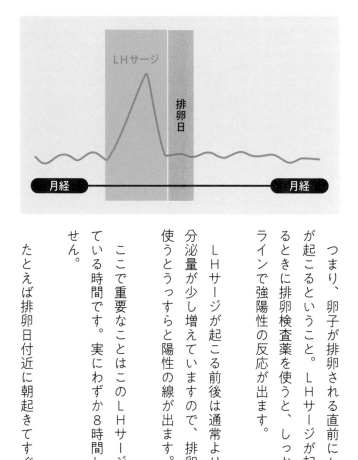

査薬を使ったとします。そのときに薄い線で反応が出たとしましょう。仮にこの時間を朝の7時とします。

そして同日、お仕事が終わって帰宅して夕食が終わりもう一度検査してみます。時間が夜の20時だったとしましょう。このときの反応も薄い線が出ました。

そのときにあなたはどう思われますか？

「あれ、朝も薄い線、今も薄い線、まだ排卵していないかな」と思われる方が圧倒的に多いんじゃないでしょうか。

ところが午前10時にＬＨサージが始まっていれば、強陽性が出る時間帯は午前10時から午後6時ということになります。

この場合はLHサージ中に検査ができていないので、強陽性を見ることができなくなり、その周期排卵日の特定が排卵検査薬ではあやふやなものになってしまいます。

ですから排卵検査薬でしっかりと強陽性を見るためには、朝・昼・夜、時間でいえば8時間おきに検査をすることによって強陽性の時間帯を見逃すことなく排卵日の予測をすることができます。

しかし、排卵検査薬だけで排卵日を予測してしまうと、この濃い線が出てから目安で24時間以内に排卵となりますので、強陽性後からタイミングをとり出すのは、『2・4・6の法則』で考えると「遅い」ということになります。

すなわち薄い反応が出たときには、もうそれまでに2回以上、1日おきのタイミングがとれていることが正しいタイミング法です。

また、薄く反応が出てからもその日のうちにタイミングをとるべきです。まだ可能性はありますからね。

排卵検査薬には、「答え合わせ」という意味もあると思いますのでぜひ使ってほしいです。

もちろんその周期に着床・妊娠が成立していれば、万々歳です。けれども、残念ながら生理が来てしまえばまた次の周期以降に持ち越しです。今周期以降の排卵日の予測の精度を上げていく。そのためにもデータを取っていくことが大切です。

卵胞チェック、基礎体温、排卵検査薬、身体の具合（おりものなど）、そして生理周期の長さなどのデータを取ることによって、生理が始まってから平均的に何日目ぐらいで排卵日が来るかがわかりますよね。

排卵検査薬は、排卵予定日の前にしっかりとタイミングがとれていたかどうか、今周期の予想排卵日が合っていたかどうかの答え合わせになります。

使い惜しみをせずに1日3回、8時間おきに使ってみることをおすすめします。

この項目のもっと詳しい説明はこちら！

https://youtu.be/qrFp-ifuyLc

https://r.voicy.jp/abmwgn5bmGA

第8章

あなただけが頑張っても妊娠できない

男は見た目も大事、中身はもっと大事

「不妊治療というものは、男が頑張るものではなく女性に原因があるものだ」。これが、ここ10年ぐらい前までの通説でした。

ですが女性が頑張って体質を改善して、ホルモンのバランスもよくしっかり排卵もできている。特に問題が見当たらないのになかなか授かれない。こんなカップルも多いです。

実は若いカップルでも授かりにくい要因の半分は、男性にあるということがわかっています。

イスラエルとアメリカなどの共同研究で、「アメリカ、ヨーロッパ、オーストラリア、ニュージーランドで暮らす男性の精子の量は、この40年間で半分以下に

減った」という発表がありました。

精子の数は１９７３年に精液１㎖あたり９９００万個だったのが、２０１１年には４７００万個に減少。今後、さらに40年後にはゼロになる可能性があると警鐘を鳴らしています。

そして、日本人の精子数を１００とすると、フランス１２２、スコットランド１４２、フィンランド１８１という結果が出ています。フィンランド人男性の半数程度しか精子数がないことがわかりました。

日本でも精子濃度の大規模な調査が行われ、男性のかなりの割合で妊娠力の低下した精液の状態であることがわかりました。

国内外のこれらの研究によると、精子の劣化は、環境汚染、ライフスタイルの変化、食生活の変化、過剰なストレスなど、さまざまな要因によって引き起こされている可能性があると示唆《しさ》されています。

あなたのパートナーが過去に、コンビニ弁当やハンバーガーなどのファストフードをほとんど食べていないなら問題はないでしょうが、少なからず食べてきたなら精子にダメージを受けている可能性は高いかもしれません。

クリニックで精子の検査は必ずしてほしいです。そしてその結果、問題がない場合でも『精子の質』という意味では安心はできません。精子の質とは、卵子と同じく『染色体のエラー』がないことです。

精子の検査では、精液中の精子濃度、精子の運動率や直進率、奇形率などをみていきます。最近は機械で検査結果が分析されますが、あくまでも精子検査は目視での検査になります。

この精子検査で異常が認められなければ大丈夫ということではありません。これまで赤ちゃんが授かりにくい原因は、受精卵の染色体の異常であるという話をしてきたのですが、受精卵は女性の卵子と男性の精子が出会ってできるもの。すなわち半分は男性由来であるということですね。男性の精子に染色体のエラーがあれば結果、あなたの卵子が正常であっても、受精卵は染色体エラーになるということ。

見た目の精液検査で安心せずに、精子由来の染色体エラーを抑えることが重要です。

男の精子は、見た目も大事、中身も大事。

ですから後述しますが、精子検査に問題がなくても精子の質は改善していきましょう。

この項目の
もっと詳しい
説明はこちら！

https://r.voicy.jp/6d9ARv6bV8y

三大男性不妊（男性不妊の種類）

では、男性不妊にはどういう種類があるかを具体的に見ていきましょう。大きく分けると3種類です。

・造精機能障害【精子を作る力】
・精路通過障害【精子の通路】
・性機能障害【性行為の力】

造精機能障害とは精子を正常に作る機能が弱い、精巣の中で元気な精子を作れないということです。この造精機能の問題が男性不妊の80%を占める原因だといわれています。作る力がない場合は非閉塞性無精子症となります。

主な原因は生活習慣。これは女性の場合と同じで基本は食生活です。精子を作るエネルギーもATPですから、ミトコンドリアの活性化が一番重要であるということです。加齢、喫煙習慣、過度のアルコール摂取、肥満、高熱によるダメージ（大人になってからの高い発熱、おたふく風邪、ワクチンの副反応、サウナの習慣など）運動不足、締めつけ、圧迫（きつい下着、長時間の自転車、車の運転）スマホやPCの熱・電磁波、精神的なストレス、精索静脈瘤《せいさくじょうみゃくりゅう》などが考えられます。

この造精機能については、改善はできます。ただし非閉塞性無精子症の場合はTESE（精巣内精子採取術）という方法で精巣を切って中の精子細胞を取り出して冷凍保存し顕微授精で不妊治療を行うことになります。

精路通過障害は作られた精子が運ばれないということですね。

このように射精した精液（前立腺の奥で作られる「精漿《せいしょう》」という液体と「精子」が混ざったもの）の中に精子がいない、または極端に少ない状態が無精子症です。つまり精子は作られているが精液に精子がいない。この状態を閉塞性無精子症といいます。

この場合はまず精路を再建できるかが重要で、成功すれば自然妊娠の可能性もあります。それでも精子がいない、または精路再建ができない場合には精巣を切って精子を探し出す手術を行います。

最後に**性機能障害**ですが、勃起障害（ＥＤ）、射精障害が代表的なものです。心因性のものも多いですが、勃起をうながす薬や射精のトレーニングなどで改善していくことがあります。

この項目のもっと詳しい説明はこちら！

https://youtu.be/xgDcR3PpPo8

https://r.voicy.jp/5P9aPOrlmeQ

ついついやっている、精子の質を下げる日常行為

男性のセルフチェックを兼ねてNGな事項を説明していきましょう。これらのNG行為をしていないかどうかをチェックしてもらってください。

【食生活】

昼食や間食についてのチェックです。

・コンビニのお弁当、おにぎり、菓子パン

・ファストフードのハンバーガー、フライドチキンなどを常食していない

特にトランス脂肪酸、よくない油、酸化した揚げ油、添加物などは活性酸素を発生させやすくして、ミトコンドリアの働きを下げてしまいます。甘いものの食べすぎも身体の中で糖化が起こり体内に焦げが発生してしまいます。あなたが管理できない外食は注意してもらってくださいね。

【喫煙習慣】

これはいわずもがな生殖能力だけではなく、健康そのものにとっても百害あって一利なしです。タバコの一番の有害性は交感神経を異常興奮させることです。よくタバコはストレスの解消になるから副交感神経を働かせてくれると勘違いをされている方が多いようです。たとえば2本連続で吸うとよくわかりますが、脈拍数がアップします。すなわち交感神経が興奮してくるのです。

「タバコを吸えばリラックスできる」

これは長年の喫煙生活の中でつくり上げた思い込みなんです。タバコを吸えば血流が悪くなります。血流が悪くなれば当然、勃起力も落ちてきます。

喫煙習慣は喫煙者の健康だけではなく生殖能力を著《いちじる》しく劣化させてしまいます。

・「過度のアルコール摂取」：よく「休肝日」をつくりましょうといわれます。多くの人は、アルコールを摂取しないで肝臓を休ませる日を休肝日と考えていますが、肝臓という臓器は心臓と同じく死ぬまで休むことなく働いてくれています。

肝臓の本来の働きは、

・栄養を貯蔵する
・デトックス、解毒
・胆汁の分泌で消化を補助する

アルコールを摂取すると、まずアルコールを分解して身体の外に出すデトックスのために働くため、本来優先すべき仕事（代謝や栄養貯蔵など）が後回しになってしまうのです。肝臓をアルコールの分解に使いすぎると、代謝という本来の仕事ができずに、無理が蓄積して、「肝炎→肝硬変→肝がん」と進んでしまいます。

そもそも総合的に身体が元気でないと子づくりはできません。そしてタイミングをとりたい日に飲みすぎてなかよし（性交渉）ができないことのないようにしなければなりません。

【運動不足】

ＡＴＰを作る習慣、これが運動習慣です。ウォーキング程度のもので大丈夫。ミトコンドリアが活性化します。

【肥満】

食生活の変化、お酒、食べすぎ、運動不足などで、結婚後に幸せ太りをする男性も多いですよね。食生活の乱れで血糖値が高くなると、血糖値を抑えるためのインスリンの分泌が増えてしまいます。男性も女性と同じで、必要なホルモンがたくさん分泌されていますが血糖値の乱高下にともなうインスリンの分泌で男性もホルモンが乱れます。そういう観点からも肥満はよくないですね。

【高熱によるダメージ】

男性の生殖能力、精子を作る睾丸《こうがん》は熱に弱いんです。外性器で外にぶら下がっており、しわが多いのは表面積を広くしているわけです。車にたとえるとエンジンの熱を下げるためのラジエーター。この部品は蛇腹状になっていて放熱するために表面積が広くなっています。同じ理屈ですね。ですから高熱は避けましょう。

具体的には熱いお風呂での長湯、サウナの習慣。サウナは身体にはいいんですが、授かるまでは我慢してください。

【締めつけ・圧迫】

ブリーフなどのきつい下着は、血流が悪くなります。睾丸が中に入り込むような圧迫やお腹まわりの締めつけが強いものも腹部大動脈や精巣静脈を圧迫し血流が悪くなります。

もう1つは外圧です。具体的には自転車、バイクなどによる長時間の圧迫は血流を阻害します。同じ体制の座位も同様です。自転車は極力立ちこぎ。長時間同じ姿勢の場合は60分に一度はトイレに立つなどして深呼吸や、軽いストレッチをしましょう。

【スマホやPCの熱・電磁波】

昼休みの公園などで、ノートパソコンをひざの上に置いて仕事をされているサラリーマンの方がいらっしゃいますよね。PCは結構熱いんです。熱量が多い。ひざの上に置くとその熱が睾丸のほうへ伝わります。よくないですよね。スマホも同様の理由でズボンのポケットに入れるのはNGです。熱だけではなく電磁波も近くで受けてしまいます。電磁波も振動で熱を伝えます。

【精神的なストレス】

ストレスは男女ともに大敵です。自律神経が乱れますので血流が悪化します。ストレスをなくす。口では簡単にいえますが、ストレスの源を断つことはできませんよね。ですからストレスの感受性を抑えましょう。幸せホルモンと呼ばれているオキシトシンやメラトニンをたくさん分泌するように、楽しいことや感動することを積極的に増やしていきましょう。

ペットとたわむれる。おいしいものを食べる。よく眠る。奥さんと仲よくする。これらを優先していくことでストレスが緩和されます。

これらの行為を1つでも多く実践・改善すれば生殖能力は上がる、少なくとも維持することはできるでしょう。ぜひチェックしてみてほしいです。

この項目の
もっと詳しい
説明はこちら！

https://youtu.be/Oo4R7zOU43s

https://r.voicy.jp/jpVE6OlpKJ6

そこに精子がいれば改善できる

精子の状態を改善し質を上げていきましょう。精子を作る能力がある方はこれを真摯《しんし》に実行してください。

ずばり『射精を繰り返すこと』です。

射精すると精液が放出されます。この精液は全部が精子ではありません。この液体の97％が精子ではなく前立腺の奥にある精嚢《せいのう》で作られる『精漿』という液体です。この精漿に精子が混ざって射精されます。1回の射精で2億から3億個の精子が放出されます。そして射精した分の精子は3〜4日で新しく作られて精巣に蓄えられます。古い精子から射精していき、新しい精子が後ろに回って蓄えられます。

この3〜4日の射精を繰り返すと、約75日で精子は全部入れ替わります。また逆に、精子は射精をせずに溜めると4日目から運動率が激しく下がっていくことがわかっています。「週末の土曜日が排卵日の予定だから、月曜の今日からガマンしてね」これではなかなか妊娠できませんよね。

理由は2つ。タイミングのとり方が間違っているのと、精子の劣化。

1週間に2回の射精、理想は二人でなかよしをして射精をすること。時間的、体力的にきつい場合はマスターベーションでもOKです。

このペースで75日頑張れば精子がすべて入れ替わるのですが、もちろんこれを妊娠するまで継続することが大切です。だって4日目から運動率は落ちていきますからね。

もちろん食生活などのほかの注意事項もできるだけ守って改善してくださいね。カッコいいパパになりましょう。

この項目のもっと詳しい説明はこちら！

https://youtu.be/R7CtlVOgXec

https://r.voicy.jp/pvmbzOZxmeA

カッコいいパパになるために

まず、ご夫婦の気持ちを確認してください。二人の子どもが欲しいという気持ちを確かめてください。それが強い気持ちなら一緒に頑張ってください。一緒に妊活を楽しんでください。

・子づくりについて勉強する

避妊をしないでなかよしをしても、そう簡単には妊娠できません。妊娠のメカニズムをしっかりと学んでください。奥さんの身体のこと、自分自身の身体のこと。命って複雑です。その複雑な命をつなぐ、二人の子どもをつくる。これは本当に奇跡の連続なんです。

・自分たちの身体の状態をしっかりと知る、調べる健康診断だけではなく、もちろん、精子の検査も大事です。あなたの精子と愛する奥さんの卵子が出会って命がつながります。もし今なかなか授かれていないなら、その理由の半分はパートナーであるあなたにあるのかもしれません。無用な見栄で検査から逃げる人もいます。断言します。空の上からどこに生まれるか探している魂は、そんな父親を選びません。だってそんなパパはカッコ悪い。素敵な両親のもとに生まれてきたいんです。

・女性の大変さをわかってあげてください

妊娠、出産は女性にとって命の危険をともなう人生最大のイベントです。男性にはなんの変化も起こりません。「ぴゅ」っと射精するだけです。

女性はそのおなかの中に命を授かる。おなかの中で命を育んでいく。

妊娠に至るまでにも、女性は赤ちゃんを授かるための生理が毎月あります。わたしも男なので偉そうにはいえませんが、中学生ぐらいから400回も毎月毎月、生理があるんです。どういうことかというと、ホルモンの変化が絶えず身体の中で起こっているんです。だから人によっては生理が始まる前からイライラしたり、頭痛や腹痛が起こったり、便秘になったり、食べすぎなくても太りやすくなったりするんです。

生理が始まったら、経血の処理をしないといけない。生理痛がひどい人はその痛みで起き上がれなくなるんです。こればっかりは申し訳ないけど体験できません。とにかく、男には想像すらできない、想像以上の大変さなんです。

そんな中、赤ちゃんが欲しい、あなたの子どもを産みたい。その想いだけで不妊治療を始めて病院に通う。

多くの場合、男性は射精して検査して終わりです。

女性は検査だけで何種類も受けないといけない。痛い思いをして採血をしてホルモン値をみます。採血の針、太いんですよ。痛いんですよ。卵巣の様子や子宮の様子をみてもらうときの診察台を知っていますか？　あんな診察台、誰も好き好んで上がりたくないのです。

それをあなたの奥さんは受けてくれている。二人の子どもを授かるために。もっと彼女に感謝してください。いたわってあげてください。

せめて「ありがとう」のひと言だけでもあなたの気持ちを伝えてください。クリニックにもできるだけ一緒についていってあげてください。共働きの場合はしっかりと家事を分担して手伝ってください。いっぱいハグしてください。毎日キスしてください。「愛してる」って伝えてください。そして、赤ちゃんを授かって、本当の意味での家族になってください。

この項目の
もっと詳しい
説明はこちら！

https://youtu.be/kWA53PgBSvE

https://r.voicy.jp/ByKoDdgzmnx

第9章

新しい家族を迎えるために

赤ちゃんはママを探して、あなたを選んで生まれてきてくれる

治療中やカウンセリングをしているときにイメージについて質問をさせていただくことがあります。「もうすぐあなたが授かる赤ちゃんは男の子がいいですか？それとも女の子がいいですか？」と。

大半の方が「健康に生まれてきてくれたら、男の子でも女の子でもどちらでもうれしいです」と答えてくれます。

そうですよね。親としてまず健康であってほしい、性別は二の次。それが素直な気持ちだと思います。

しかし、あえてお願いしています。男の子か女の子か、あなたの中で決めてく

ださい。そしてその赤ちゃんに名前をつけてあげてください。ニックネームでもかまいません。

ある患者さんは、近い将来におなかに来てくれる赤ちゃんを「ミニモニちゃん」と命名。

彼女はご自分のお腹をさすりながら「ミニモニちゃん」とその名前を呼びながら話しかけていました。

「ミニモニちゃん、来てくれてありがとう、ママはとってもうれしいよ」

妊娠する3か月も前から毎日ずっと話しかけていました。彼女は今、ミニモニちゃんの育児を楽しんでいます。

この話はある助産師さんからうかがいました。未来の赤ちゃんに対して名前を呼んで話しかけてあげる。これをされた妊活中の人は明らかに妊娠率が高いとのことです。

胎内記憶というものを聞いたことがあるでしょうか？

生まれてきてくれた子どもが話せるようになったとき、おなかの中のことを覚えていて話しをしてくれるというものです。

「ママのおなかの中にいたときのことを覚えている？」

そうたずねると胎内記憶を持っている子どもたちは次のように話してくれます。

―「ママのおなかの中は狭かったよ」

―「暗かったんだよ」

―「逆立ちをしていたよ」
―「プカプカしていて気持ちがよかった」
―「ママとパパはよくケンカしていたよね」

びっくりですよね。

この胎内記憶を日本で研究されているお医者さんが、横浜の産婦人科医であられる池川明先生です。

池川先生は胎内記憶を持っている子どもがいると聞くと、そのお子さんやお母さんにインタビューをしてそのお話をまとめていらっしゃいます。

そして全国どこで聞いても、みんな共通して同じような話をしてくれるそうです。

多くの子どもたちがおなかの記憶だけではなく、おなかに入る以前の記憶を話し出すことも多いそうです。

「ママのおなかの中に来る前はどこで何をしていたの？」

──「お空の雲の上からママを探してたんだよ」

──「ママを見つけてうれしくなって神様にお願いして、虹の滑り台でママのおなかに入ってきたんだ」

「どうしてこのママに決めたの？」そう尋ねると、

──「優しそうだったから」

──「きれいでかわいかったから」

──「さびしそうにしていたから、わたしが行って元気にしてあげようと思ったの」

あなたを選ぶ理由はさまざまですが、共通しているのはママを幸せにしたい。

そして赤ちゃんは自分の意思でママを選んで生まれてきているということです。

残念ながらパパを選んではいないんですね（苦笑）。

声を出しておなかに向かって名前で話しかけてください。
「〇〇ちゃん、ママを選んでくれてありがとう」
感謝を伝えるとそれが伝わり、「あそこにママがいる」と空の上からあなたを見つけてくれます。

嘘のような本当の話です。ぜひ、試してみてください。
実際におなかの中に来てくれたときもいっぱい話しかけてあげてくださいね。

胎内記憶というのは子どもたちの記憶ですが、胎内記憶を研究していくと、赤ちゃんの魂は自分の意思で親を選んで生まれてきてくれる、ということがわかります。

これはあなたの赤ちゃんだけではなく、すなわちあなたもお母さんを選んで生まれてきたということです。わたしたち人間は、生まれてくる意味や目的を持って親を選んで生まれてきたんです。あらためてあなたのお母さんに感謝しましょう。その気持ちが命をつなげていってくれます。

胎内記憶は子どもたちへの接し方や考え方だけではなく、なぜそのお母さんを選んで、なんのために生まれてきたのかを見つめ直すことができます。あなた自身の生き方や考え方が変わってくるかもしれません。

「胎内記憶」に興味を持たれたら、胎内記憶教育協会が主催する勉強会にも参加してみてください。わたしもときどき上映会を開催しています。胎内記憶に関するドキュメンタリー映画『かみさまとのやくそく』もご覧いただけるといいですね。きっと妊活にもあなたの将来にも役立つ、たくさんの学びとヒントが得られると思います。

この項目のもっと詳しい説明はこちら！

https://youtu.be/_hiu8UyV7T4

https://r.voicy.jp/0dVBkXjyKgq

明るい未来を引き寄せる、５年後の写真を撮りましょう

イメージの話をもう１つ

今、この瞬間にそっと目を閉じてあなたの５年後を想像してみてください。

そして、その想像した５年後の風景を、頭の中のカメラの、シャッターを押し

て撮ってみてください。

どういう写真が撮れましたか？

パートナーと旅行に行って印象に残っている場所かもしれません。お家のソファに座っているかもしれません。

そこには誰がどんな表情で写っていますか？

もちろんそこには、あなたと愛するパートナーは写っていますよね。そして5年後ですから4歳ぐらいになったあなたのお子さん、もしかしたらもう1人、きょうだいが写っているかもしれませんね。

間違えないでほしいのは5年後です。あなたとパートナーと小さな赤ちゃんはダメですよ。だって授かるのが4年後になってしまいます。

そして、今撮れた写真をしっかりと頭に焼きつけてください。

「そうなりたいな」とか「そうなればいいな」と考えてはいけません。

「なりたい」(たい)とか「なれればいいな」(いいな)はあなたの素直な願望だと思います。しかし、それはあくまでも願望で、裏返すと「なれたらいい」は「なれなくても仕方がない」と、結果的にそうなれなかった場合の言い訳をしていることにもなるのです。

「引き寄せの法則」という、思ったことは実現するという考え方を聞いたことあると思います。ですがそれほど世の中うまくいくわけはないと、ずっとわたしも思っていました。「引き寄せの法則などない」と。

でも、60歳を過ぎた今、「引き寄せの法則はある」、そう確信しています。

みなさんの想いは実現しているんです。みなさん、自分の想いを引き寄せています。人間、誰にでも与えられている能力なんです。

頭の中には、ポジティブな想いとネガティブな想いが一緒に存在していることが多いんです。引き寄せの法則はプラスの想いとマイナスの想いの2つあればどちらに働くのか。わかりますよね。

必ず、マイナスのほう、ネガティブな想いを引き寄せます。

だから必ずこうなると、ポジティブな想いをしっかりと持つ。ぶれずに持つ。ダメだったときの言い訳を先にしてしまうと、想いはネガティブなほうに結果を誘導していきます。

あなたが頭に描いた5年後の家族写真。その写真は絶対に実現します。
だってあなたが撮った写真ですから。信じれば絶対にそうなります。
明るく楽しい5年後の家族写真、しっかりと焼きつけてください。

この項目の
もっと詳しい
説明はこちら！

https://youtu.be/qoR0_MCRzfY

https://r.voicy.jp/6MmONMYnKEG

脚注

＊1　https://www.mhlw.go.jp/content/11909000/000706110.pdf?fbclid=IwAR0mgLn0fqViH719GWuBjyE_eDMcyCdDd_VkBetO1ZZ1UUPEhmmQJq7ZyRo

＊2　https://www.paho.org/en/topics/trans-fatty-acids

＊3　https://www.maff.go.jp/j/shokusan/sanki/soumu/attach/pdf/bunkakai-11.pdf

おわりに

地球上のすべての生き物は、自分たちの種を次の世代に受け継ぐための本能や機能を持って生まれています。したがって、あなたにも生殖力が備わっているということですね。わたしたち人間は本能に加えて、ほかの動物に勝る、理性や知性、そして愛情などを持っています。それぞれの人生において、赤ちゃんを望むタイミングは異なりますが、人間も動物であり、赤ちゃんをつくれる期間は限られています。特に日本では、性についての教育が不十分であり、正しい妊娠についての知識が一般に広まっていない現状があります。

この本は、不妊に悩む方が早く授かるために必要なことや知っておくべきことをまとめたものです。不妊は病気ではなく未妊の状態であること、妊活のスタートは子づくりとしての生殖行為ではなく、身体づくりが本当のスタートであることを理解していただけたと思います。

この本で取り上げたテーマは、自然妊娠を目指している方だけにではなく、体外受精に取り組んでおられる方にも必要な、体質改善、栄養管理、ストレスマネジメント、そして妊活における正しい知識をお伝えしました。

この本の内容を参考にしていただき、わたしが発信する情報もチェックしていただけるとうれしいです。また、妊娠されたら、SNSを通じてわたしにご報告ください。わたしの目標である「2万人の孫」の一人に加えさせてください。

妊活には、アドバイスを受けられる相談相手も必要です。この本やわたしのSNSの情報が、あなたの妊活における不安や問題解決の手助けになると信じています。また、わたしが直接アドバイスさせていただくzoomを使用したネットカウンセリングも行っておりますので、ぜひご活用ください。

この本を出版する機会を与えてくれた鴨頭嘉人さん、鴨ブックスのスタッフのみなさん、そしてわたしをこの世に産んでくれた両親に感謝しています。また、日々わたしの想いを支えてくれているスタッフ従業員の仲間、なによりこの本の出版を心から楽しみにしてくれていた最愛の妻にも感謝の気持ちを伝えたいと思います。

この本を手に取ってくださった方々には、今できることを1つでも取り入れていただき、愛するパートナーの子どもを授かり、夫婦から家族になる喜びを共有していただけることを願っています。最後に、この本を読んでくださったみなさんには、心より感謝いたします。ありがとうございました。

あきらめないで、あなたは幸せなママになるために生まれてきたんだから。

2万人の孫を作る！子宝鍼灸師®　たけながみきと

たけながみきと

子宝カウンセラーの会　特別認定講師・子宝カウンセラー指導士
「２万人の孫を作る！子宝鍼灸師®」
パパス東洋医療鍼灸院・院長／漢方薬店　にこにこ薬唵・代表

自身の腰痛改善を機に東洋医学に興味を持ち、国家資格「鍼灸師」「登録販売者」を取得。2011年にパパス東洋医療鍼灸院／漢方薬店・にこにこ薬唵を開設。不妊とは知らずに体質改善のために通っていた患者さんから次々にご懐妊の報告があり、体質改善することで「不妊に悩んでいる方にも力になれる」と改めて不妊・女性疾患における鍼灸・漢方の可能性を研究し、のべ30,000組以上の妊活中の夫婦を施術。4,500人以上が妊娠に至った実績を持つ。
この経験と実績をもとに、自然妊娠を望まれている方が赤ちゃんを授かるお手伝いをするさまざまな妊活情報を、YouTube、Instagram、Voicyなどで日々発信中。総フォロワー数は13万人以上。妊活に臨む方を『体・こころ・お金・時間』のストレスから救い、自分を通して授かる命が２万人となることを目指す。

STAFF

装丁　棕本 完二郎
イラスト　イキウサ
DTP制作　株式会社ピーエーディー
校正　皆川 秀

大丈夫。あなたは授かれる！
ママになりたいを応援するサポートブック

2023年6月29日 初版発行
2024年9月13日 第4刷発行

著者　たけながみきと
発行者　鴨頭 嘉人
発行所　株式会社鴨ブックス
〒170-0013
東京都豊島区東池袋3-2-4 共永ビル7階
電話：03-6912-8383
FAX：03-6745-9418
e-mail：info@kamogashira.com

印刷・製本　株式会社光邦

ISBN978-4-910616-07-0